恋愛アンソロジー

# I LOVE YOU


伊坂幸太郎
石田衣良
市川拓司
中田永一
中村　航


JN265924


祥伝社文庫

# 目次

# 透明ポーラーベア

伊坂幸太郎

伊坂幸太郎（いさか・こうたろう）
１９７１年千葉県生まれ。東北大学法学部卒業。２０００年、『オーデュボンの祈り』で第5回新潮ミステリー倶楽部賞を受賞しデビュー。03年、『重力ピエロ』が直木賞候補になり、『陽気なギャングが地球を回す』（祥伝社文庫）とともに『このミステリーがすごい！』でトップ10に入るなど、一躍注目を集める。04年、『アヒルと鴨のコインロッカー』で第25回吉川英治文学新人賞を、「死神の精度」で第57回日本推理作家協会賞（短篇部門）をそれぞれ受賞。著書に『死神の精度』『魔王』『砂漠』『終末のフール』『陽気なギャングの日常と襲撃』（祥伝社刊）『フィッシュストーリー』など多数。

# 1

八月、富樫《とがし》さんと再会した。その場所が動物園の敷地内であったことには、何か特別な意味があるように感じるけれど、動物園は動物園でも、爬虫類《はちゅうるい》館の中だったから意味なんてないのだろう。

爬虫類館は、季節に関係がなく、生暖かい空気が漂《ただよ》っている屋内施設で、カメレオンや亀の入ったケースが壁際に並んでいた。心なしか、館内の床もぬめぬめしているように感じる。僕は中央にある大きな蛙《かえる》の飼育箱の前に立ち、隣の千穂《ちほ》が、「どう考えても、蛙って爬虫類じゃないよねえ」と口を尖《とが》らせて抗議しているのを、うんうんと聞きながら、つまり聞き流しながら、ぼんやりとしていて、その時に、入り口から入ってきたばかりの男性に気がついた。

富樫さんに似ている、と咄嗟《とっさ》に思った。「富樫さんと最後に会ったのは、僕が高校二年の時で、今の僕が二十二歳ということは、あれから五年経《た》っているわけだ。だから、今の富樫さんが何歳かと言うと」と計算をはじめるけれど、すぐに、そんな面倒な計算はいらないと気づく。富樫さんは、僕の姉と同い年だったのだ。つまり、四歳上ということになるわけで、そこから考えれば、今、富樫さんは二十六歳だ。

「ねえ、蛙が爬虫類館にいるなんて、おかしいよね」千穂は何事にも規則や秩序を求める性格で、たとえば、緑黄色野菜の仲間に、人参《にんじん》が含まれること自体、あれは緑でも黄色でもないよね、と苛立《いらだ》つくらいだったので、承知しかねるという顔で、僕の脇腹を突いた。

仕方がなくて、「この蛙もきっと、こっちを見て、『人間って爬虫類じゃないよね。何で、ここにいるんだよ』とか言ってんじゃないの」と応《こた》えた。

それから、先日、職場で聞いた話を思い出し、「会社の先輩から聞いたんだけど」と言いかけたのだけれど、すぐに千穂から、「どうせ、毒にも薬にもならない、くだらない話でしょ。聞きたくない」と言われた。

「何でだよ」と僕は言ってから、あ、そうか、と察したけれど、その時には千穂が口を開いていた。「仕事の話は嫌《いや》なんだってば」と彼女は視線を逸《そ》らす。

僕の転勤が決まったのは、半月ほど前だった。九月から関西の支店へ行ってくれと辞令が出た。僕たちが住む東北地方からすると、東京ならまだしも、そのさらに西方の神戸《こうべ》ともなると、近いとは言いがたく、千穂はこの地元企業に勤めているし、このまま行けば、期限不明の遠距離交際に突入することが決まっていて、この半月の間、「どうしようか」「どうしようもないよね」「どうなるんだろうね」という会話を嫌になるくらい繰り返していた。交際をはじめて、二年になるけれど、この二年という長さが、短さが、よけいに事情を複雑にしている気もした。

「とにかく、今日は、会社のことは忘れよう」千穂は拳《こぶし》を強く握り、高らかに宣言する。

そうしよう、と答えた僕はそこで、再び前を見たのだけれど、ちょうどその時に富樫さんに見える男が、こちらに向かい、手を挙げた。「あ、優樹《ゆうき》君」

「やっぱり」僕は言う。「久しぶり」

「何年ぶりだろう」

「五年」と即答してみせた。計算したばっかりなんです、と。「計算？」富樫さんの外見は、あまり変わっていなかった。髪は短く、鼻が大きく、痩《や》せ型で長身、腕が不釣合いに長くて、決して整った外見と言いがたいけれど、個性的な魅力があった。五年ぶりの富樫さんの隣には、背の高い女性が立っている。富樫さんと腕を組んでいることから推測すると、千穂が言うには、女性が男の腕にしがみつくのは、甘えるためではなくて、寒さから身を守り暖を取るためらしいが、とにかくその腕の組み具合からすると、恋人なんだろうな、とは分かった。

「トガシさんって誰だっけ?」千穂が、僕の耳元に口を近づけた。

「姉貴の彼氏」僕はぼそりと言い、「だった人」と過去形にした。「ちなみにあの人も爬虫類じゃないし」

## 2

友人同士とか、恋人同士とか、親戚であったり、師弟関係であったりとか、人と人の関係にもいろいろあるけれど、僕に言わせてもらえれば、「弟と、姉の彼氏」の関係というのは、もっとも不安定なものの一つだ。

そもそも、弟や妹という地位は、気の利《き》く我慢強い人間が担《にな》うことが多いので、姉に恋人ができれば、その男性とはできる限り、友好な関係を築きたいと努力する。僕はそうだった。

姉の彼氏が、「これ、あげるよ」と漫画本を寄越《よこ》してくれれば、「これ読みたかったんです」と、全巻持っているにもかかわらず、お礼を言い、「お姉ちゃんの今までの彼氏ってどんな男だった?」とさり気《げ》なく、全然、さり気なくはないんだけれど、調査をしてくれば、「姉貴が家に連れてきた彼氏ははじめてだよ」と嘘《うそ》をついて、相手の気分を良くし、姉と恋人の関係に不穏《ふおん》な空気が流れてくれれば、どうかうまく行きますように、と願ったりもする。

けれど、願いは叶《かな》わず、いつだって、姉は彼氏と別れることになり、そうなると僕と彼らが築いていた間柄はすべてご破算になって、会うこともなくなる。友人から他人へ、もしくは他人以下の、「敬遠したい相手」にまで格下げとなることもある。

僕にとっての、「姉の彼氏」は、歴代十人はいるはずで、もちろん全員に会っているとは限らないから十人以上なんだろうけど、とにかく僕は、そのうちの誰とも交友関係は続いていない。彼らはもはや、僕のことなんて忘れているだろうし、もし忘れていなくても、忘れたがっているだろう。

いくら親しくても、別れてしまえばそれきり。十代で一番、実感したのはそのことかもしれない。

ただ、僕はもちろん、その彼氏たちのことを今でも覚えているし、その彼氏群の中から幾人か、印象的な男を挙げてみろ、と言われたら、できる。

たとえば一代目の彼氏は、姉が中学二年の時の、同級生だった。黒髪で、利発さを絵に描いたような男子生徒で、彼がいつも、「水兵リーベ僕の船」と化学の元素《げんそ》記号を口ずさんでいたのが、妙に印象に残っている。ちなみに僕はあれを、ずっとガンソキゴウと読むのだと信じていて、つまりは、「元祖」記号と混同していたため、どこかに、「本家」記号もあるのではないか、と期待していた。その彼と別れた翌日、姉は、「生まれ変わるために、出かけてくる」と言い残し、一人で電車に乗って、福島の会津磐梯山《あいづばんだいさん》まで行ってきた。なぜ、会津磐梯山だったのか、僕も両親も分からなかったけれど、当時十代前半だった彼女にとって、そこまでの日帰り旅行が精一杯だったのかもしれない。白虎《びゃっこ》隊の白虎刀というのを土産《みやげ》で買ってきて、家で振り回し、僕の頭を突いて遊んだ。

それから、姉が高校生の時、確か二年生の頃に交際していた彼は、ミュージシャン志望の、定職を持たない男だった。二枚目とも気障《きざ》とも言える、少々、自己陶酔型の鷲鼻《わしばな》の男で、うちに来るたびにギターを弾《ひ》いた。彼がお気に入りだったのは、ビートルズの、『Dear 何とか』という曲で、「空は青くて陽は高くて」という歌詞のせいか、自然の様子を謳《うた》いあげる詩人のつぶやきとも取れる、美しい曲だった。歌いながら彼は、上手にギターを弾いた。そして、僕の顔を見るたびに、「ビートルズを聴《き》け」と指を向けたくせに、僕が、『アビーロード』というアルバムを聴こうとすると、駄目だ駄目だそれは最後に聴かないといけないアルバムなんだ、と訳《わけ》の分からないこだわりを押し付けてきた。

その彼に別れを告げたのは、姉だったはずだ。「浮気されてたなんて、信じられる？」

と言われて、当時の僕は、あなたは神を信じますか、という文句を思い出した。あなたは浮気を信じますか？

　別れてから二週間ほどして姉は、やはり、「出かけてくる」と言い残し、学校を休むと一人で、東京まで行った。両親はかなり怒ったし、僕も心配したけれど、翌日には無事に帰ってきて、買ってきた葛餅《くずもち》を美味《おい》しそうに食べていた。

　それから、姉が大学二年生の時の彼氏には、バーテンダーがいた。手品もやるバーテンダーで、人気があった。らしい。本人が言っていたから、相当胡散臭《うさんくさ》い、彼の言動はいつも芝居がかっていた。「こんなに人を好きになったことはない」と姉は毎日毎日、熱に浮かされるように騒ぎ、これはうまく行くのではないかなと僕も期待していたのだけれど、やはり三ヶ月ほどで別れた。手品に種がつきものであるように、別れたからには何かしらの理由はあったんだろう。ただ、あまり時期を空《あ》けず、そのバーテンダーが別の美女を車に乗せて走っているのを街で目撃して、なるほどな、と思ったのは覚えている。なるほどな、寂しいな、と。

　あの時の姉はしばらく、鬱々《うつうつ》と部屋にこもっていたけれど、夏休みを利用して、二週間の海外旅行に出かけた。確か、バリ島とかその辺の島だった。帰国してしばらくは、ケチャダンスの真似《まね》をして、「ケチャケチャケチャ」と口ずさみ、うるさくて仕方がなかった。

「あのさ、姉貴は、どうして男と別れると、旅行に行くわけ」と訊《たず》ねたことがある。しかもだんだんと遠出の距離が長くなるし、と。

するとと姉は、「そんなことないって」と涼《すず》しい顔で否定をし、それ以上、僕は問い質《ただ》せなかった。ようするに彼女自身も理解できていなかったのだろう。

そして富樫さんはと言えば、姉にとっての、最後の彼氏だった。知っている限りでは、最も長い期間、交際していた恋人で、僕が、「姉の彼氏」群の中では一番好感を抱《いだ》いていた人だ。

「なんだか、大人っぽい感じになったなあ」富樫さんは歩み寄ってくると、嬉しそうに言う。

「五年ぶりだから」当然ですよ。

「学生?」

「もう卒業しました。今は、ガス機具の製造会社に勤めてて。富樫さんは?」

「働いてるよ」富樫さんが言葉を濁《にご》す場合は、だいたい自慢話を避ける時だったから、おそらくきっと、上質な仕事をしているに違いないな、と僕には分かった。上質な仕事の定義は分からないけれど、たぶんそうだ。それからさらに富樫さんは、「彼女は、芽衣子《めいこ》」

と自分の隣にいる脚の長い女性を、紹介してくれる。

はじめまして、と僕は挨拶《あいさつ》をし、果たして自分と富樫さんの関係をどう説明すべきだろうか、と逡巡《しゅんじゅん》したのだけれど、こちらが口を開くよりも先に芽衣子さんが、「弟の優樹君ね」と美しい歯並びを見せた。

弟の、と付くということは、姉のことを承知している、ということに違いなく、「はい」と答えたものの、僕は少し戸惑《とまど》った。

「ねえねえ、わたしも。わたしも紹介してよ」とそこで千穂が袖を引っ張ってきた。自分だけが取り残されている、と敏感に察したに違いない、ずいっ、と前に出ると、「わたし、千穂って言って、優樹の彼女です」と自ら名乗った。千穂のそういう軽やかな強引さが嫌いじゃなかった。

「デートなんだね」富樫さんが目を細める。

「そうなんです」と千穂が、僕の右腕にしがみついた。暖を取るためか。夏なのに。

「富樫さんたちもデートですか?」

「まあ、そんな感じかな」と答え、芽衣子さんと顔を見合わせる富樫さんは、当然かもしれないけれど、五年前より大人びて見えた。

「わたしたち、シロクマに会いに来たの」と芽衣子さんが言う。

「ああ」と僕は複雑な思いで、相槌《あいづち》を打った。僕と富樫さんにとって、シロクマという哺《ほ》乳類《にゆうるい》は、特別な意味を持つ。

3

しろくま、とか、ホッキョクグマ、とか、ポーラベア、ポーラーベアとか、アイスベアとか、呼び方はいくつもあるらしいけれど、とにかくあの、北極とカナダを行き来する白い肉食獣は、厳密には白ではないのだけれど、僕や富樫さんには馴染《なじ》み深いものだ。

なぜなら、と訊かれれば答えは簡単だ。姉が好きだったからだ。

いや、「好き」という表現では大人《おとな》しいかもしれない。

いつから姉がシロクマに興味を持ったのか、覚えていない。ただ、富樫さんが、僕の家に初めてやってきた時、六年前には、すでにそうだった。「あんなに可愛い動物はこの世にいないのではないか」と姉はよく主張をして、僕や富樫さんをうんざりさせた。「可愛いでしょ、ね、ね」僕たちが気乗りしない表情をすればするほど、「ね」の数が増えた。

もちろん、彼女がシロクマを目にするのは、テレビか写真、もしくは動物園でだけだったろうが、その、のっそりのっそりと歩き回る姿や、アザラシを食べて口のまわりから胸のあたりまで血だらけにした写真を見ては、「可愛いなあ」とうっとりとしていた。

「可愛い?」僕は時折、反論した。テレビの映像を指差して、「アザラシを食いちぎって、血だらけの、この凶暴な熊のどこが?」と訊ねた。真剣な疑問だった。

すると姉は「そこがいいんじゃない」と返事をした。


僕たちは爬虫類館を出て、順路どおりに歩き、象やらツキノワグマなどを眺《なが》めた。サル山の横の区域にいる、レッサーパンダは特に可愛らしかったけれど、ものものしいゲージで囲まれていて、残念だった。以前はそんなものはなかった気がするから、もしかすると、レッサーパンダに手を伸ばしたり、抱えて持って帰ろうとした輩《やから》がいたのかもしれない。そして、猛獣コーナーに到着した。

時間は夕方の五時を過ぎているが、まだ、空は明るい。ふだんであれば、五時には閉園するらしいのだけれど、夏期だけは例外で、夜のイベントが企画されているため、まだまだ閉まる様子はない。むしろ、入園者の数はじわじわと増えているようだ。僕と千穂は、富樫さんと芽衣子さんが嫌がっていないから、という理由で、一緒に行動をしていた。二人きりでいると、口には出さずとも、九月から僕が神戸に行ってからのことが重い空気として僕たちを覆《おお》ってくるに決まっていて、だから、富樫さんたちと共にいるほうがありがたかった。たぶん、千穂もそうだ。

「猛獣っていうのも、漠然《ばくぜん》とした分類ね」と芽衣子さんが、「猛獣園」の看板を指した。

「猛獣の猛ってどういう意味ですかね」千穂が唐突に質問を口にする。

「見たまんまってどういうこと。やっぱりさ、猛スピードって言うくらいだから、ものすごい、って意味かな？」千穂が真顔で言う。

「ものすごい？」

「ものすごい獣ってこと。それとも、ものすごく獣とかさ。そう思わない？」

僕は、「そうだね」と相槌を打った。もちろん、本当にそう思ったわけではないけれど、ただ、「ものすごい獣」と嬉しそうに言う千穂が可愛らしくて、だから同意した。

「ものすごい獣、って面白いね」芽衣子さんも目尻に皺《しわ》を寄せ、うなずいている。

脇にいる富樫さんの横顔に目をやる。富樫さんは真っ直《す》ぐに、「猛獣園」の看板を見つめていた。

シロクマの水槽は、洞窟《どうくつ》めいた順路を進んだ、ひときわ奥まった場所にある。壁一面が水槽になっていて、水中に飛び込んだホッキョクグマを間近《まぢか》に見られる趣向だ。水のある奥は陸地で、視線を遠くにやれば、そこをホッキョクグマがゆったりと歩き回っていた。かと思うと、立ち止まり、鼻を上に伸ばし、探知機さながらに動かす。

ホッキョクグマという名前から、「北極にだけ」住んでいるように思われがちだけれど、実は北極にいるのは海が凍る冬だけで、残りの時期は、カナダにいる。冬が近づいて、ハドソン湾が凍りはじめると、カナダの町、チャーチルにシロクマたちは集まって、凍結とともにまた北極へ、アザラシを捕りに歩き出す。らしい。

姉の情報によれば、ホッキョクグマが鼻を伸ばすのは、好物のアザラシの匂いを探しているからで、同じ動物園内にいる、アザラシたちは気が気ではないだろう。

「可愛い」と千穂はガラスに張り付いて、中を覗《のぞ》く。「飽《あ》きずに、歩き回って、馬鹿みたいだね」

僕たちはしばらくそこで、シロクマの動きを眺めていた。こっちのほうこそ、飽きずに眺めていて、馬鹿みたいだった。そのうちにシロクマが、のっそりのっそり寄ってきた。かと思うと、水の中に潜《もぐ》った。激しい音とともに、水飛沫《みずしぶき》が上がり、ガラスを濡らす。泡もろとも沈むシロクマが、僕たちの前に、ガラス越しに現われる。

「水死体みたいだよ、これ」千穂はげらげらと笑った。「ほんと、ずいぶん大きな」と芽衣子さんも微笑《ほほえ》んでいる。「大きな水死体」

「ものすごい、水死体だ」と千穂がさらに言った。「白い、水死体」

僕と富樫さんは顔を見合わせる。「白じゃないんだ」と口の先まで出かかった。シロクマの身体は白く見えるが、実際はそうではない。もちろんこれも、姉から散々《さんざん》聞かされたことの一つだ。シロクマの毛は光ファイバーのように中は空洞で、正確に言うと、透明だということらしい。

ほんとかよ、白にしか見えないじゃないか、と思うけれど、あれは光が反射して白いだけで、場合によっては黄色であったり黒色であったり、別の色にもなるらしく、「本当は透明」ということだった。実際にそうなのかどうか、僕は知らないし、たぶん、富樫さんも知らなかったはずだ。

僕たちが見ているうちにシロクマは、別に、間が持たなくなったわけではないだろうに、水に浮かぶ大き目のボールで遊びはじめた。ボールを抱えたまま水の中に潜ろうとするのだけれど、ボールの浮力がそれを邪魔するのか、うまくいかない。腕からするっと抜けたボールが、放たれた砲丸のように、水面から飛び出した。それがシロクマは気に入ったのか、再びボールを抱えて、水中に沈もうとする。ボールがまた、飛び出す。それを何度も繰り返した。

「よくも飽きずに同じこと、やるね」と千穂が言い、「ほんとね」と芽衣子さんもうなずいた。僕は、ばれないように何度か富樫さんの顔に視線を走らせた。そのたびに見えるのは、芽衣子さんに向けられた、富樫さんの眼差《まなざ》しだった。

4

「心優しき力持ちって感じだねえ、シロクマってさ」千穂が感慨を込めて、言った。僕たちは動物園を一通り回って、園内のアイスクリーム店にいる。

「うん、ほんと、そうだね」芽衣子さんがしみじみと、首を揺らした。

僕と千穂は依然として、富樫さんたちと一緒にいる。「邪魔だ」と言われるまでは邪魔になっていない、という理屈だ。

「優樹君は、よくこの動物園に来るの？」芽衣子さんが、僕の顔を見た。

「いえ」と首を振る。嘘ではない。この動物園は、僕の住む家からバスに乗って、三十分の距離にあるのだけれど、ここ数年は来たことがなかった。「たぶん、昔、富樫さんと来た時、以来ですよ」

「へえ、優樹、来たことあるんだあ」千穂が、裏切られたような声を出す。

「昔だよ、昔」僕は声を強くする。

「でも、わたしと来る前に来てたんだ？　それってフライングだ」

「千穂と知り合う前だから、当時は一緒には来られなかったよ。それに来たのだって、富樫さんと姉貴とだってば」

「優樹は、わたしのいないところで知らないことしてる」

「昔のことだから仕方がないよ」

「これからあるかもしれないじゃん」千穂は、怒っているよりも寂しげで、眉が痛々しく歪《ゆが》んでいた。

「僕もここに来るのは、優樹君と来た時以来なんだよ」富樫さんは言いながら、手元のアイスクリームに巻かれた紙を、剝《は》がしている。

僕は話題を変えるために、柄《がら》にもなく張り切った声を出した。「じゃあ、ここで会ったのは本当に、たまたまだったんですね」

「そうだね。運が良かったのかも」芽衣子さんがうなずく。

「運命的ですね」千穂が大発見でもしたかのように、人差し指を立てた。運命って言い方はどうにも恰好悪いじゃないか、と思ったけれど、そういうことを嬉しそうに口にする彼女が、僕は嫌いではなかった。

「そうだ、成田山《なりたさん》の法則って知ってる?」そこで芽衣子さんがアイスクリームの匙《さじ》を指示棒のように振り、隣に座る富樫さんの顔を見た。それを眺めていた僕は、おや、と思った。芽衣子さんと富樫さんがお互いの顔を見合うところを、はじめて見たような気がしたのだ。

「成田山って、あの、初詣《はつもう》でで行くところですか? 千葉の?」と千穂が尋ねた。

「あの成田山」芽衣子さんが答える。長髪を薄っすらと茶色にし、背もすらっとした芽衣子さんは、どちらかと言えば現代的で洋風な外見をしていて、だからその口から、「成田山」という伝統的で和風な単語が飛び出たことに、僕は少し驚いた。

「平将門《たいらのまさかど》の乱を鎮《しず》めるために作られた、あの場所ですよね?」さらに千穂が言う。

「何でそんなに詳《くわ》しいんだよ」と僕が眉根を寄せると千穂は、「常識だから」と一言で撥《は》ね返してきた。僕の常識に、平将門の欄はない。

「あそこって、お正月には、大勢の人が出向くでしょ」

「正月の参拝客は、全国でも上位ですよね」常識を押さえている千穂が、勝ち誇った目で僕を見ながら、とうとうと言った。「五百万人とか、それくらいで」

「そうそう、でね、いつも不思議なの」芽衣子さんは、優しい声で続ける。「三が日ってあるでしょ」

「元日からの三日間の、あの、三が日?」

「そう。それで、参拝客の全員がどうして、『元日に行こう』としないのか、それが不思議なの」

「どういうことです?」と僕は訊ねる。意味が分からなかった。富樫さんもはじめて聞く話なのか、きょとんとして耳を傾けている。

「参拝客って、それぞれがそれぞれの理由で、元日に行ったり、二日に行ったり、三日に行ったりするわけでしょ。でも、それって別に、みんなで示し合わせたわけではないのよね。君は二日に行きなさい、元日に行きなさいって割り振ったわけじゃないでしょ。だから ある時、みんなが一斉に、『元日に!』って思いついてもおかしくはないと思うの」

彼女の言いたいことが、僕にも分かってきた。「そうなったら、えらいことですね」

「うん。でも、そうはならないでしょ。ちょうどうまい具合に、三が日で均《なら》されてる。うまく調整されている気がするのよね。同じように、東京にいる人間が、全員が全員、『明日ディズニーランドに日帰り旅行に行こう』って決断する日が来てもおかしくはなさそうなのに、そうはならないでしょ」

「うん、ならない」僕は同意する。確かに、若干の偏《かたよ》りはあるにしても、なぜか、うまくばらけている。

「誰かが調整してるみたいでしょ」

富樫さんは目を細めている。芽衣子さんが、富樫さんの顔を見た。富樫さんは視線を逸らす。

5

お店の隅にある便所に入り、僕は小便をしていた。すると隣の便器の前に、富樫さんがやってきた。「アイスクリームもやっぱり水分なのかなあ」と笑い、小便をはじめる。五年ぶりに会って、最初に二人きりになるのが便所、というのも笑えるよな、と思いながら、「富樫さん」と声をかけた。前を向いたままだ。「でも、本当に久しぶりですね」

「そうだね」富樫さんも正面を見たままだ。「優樹君に可愛い彼女ができているとは」とからかう声を出す。排尿の音が続く。「五年前の君に、教えてあげたい」

「ですね」と僕は苦笑する。高校生のある時期、僕は、片想いの相手が、柔道部の男と交際していると知り、落ち込んでいた。そして、十代の男であれば誰もが抱えるであろう不安を、家に来ていた富樫さんにぶつけた。「富樫さん、僕にもいつか、彼女とかできるんですかね?」

　その時の富樫さんの答えは、単純明快、無根拠の、無責任なものだったけれど、それなりに心強く響いた。「できるに決まってるじゃないか」

「富樫さんこそ、芽衣子さんと長いんですか?」

「三年前からかな」

「すごく綺麗な人ですね。性格も良さそうだし」

「だろ」と冗談めかしながらも恥ずかしそうに、富樫さんが言う。

「そういうの、照れて言われると、逆に困っちゃいますよ」

「ああ、そうか」富樫さんは壁に向かって、笑った。

「結婚とかしないんですか?」

「したいと思ってる」富樫さんの言い方は、曖昧《あいまい》と言うか、婉曲《えんきよく》な感じだったけれど、即答だった。そしてさらに、「怒った?」と訊ねてきて、僕を当惑させた。

「怒る?　どうして僕が怒るんですか」

「僕のお姉ちゃんを捨てたくせに、とかさ」

「いやあ」と正直に答える。「僕が富樫さんでも、あの姉とは一緒にいられないですよ。別れたのは当然です」

僕はふと、五年前、富樫さんと別れ話をした日の、姉のことを思い出した。

その日、姉は夜の九時頃に、家に帰ってきた。僕は居間のテレビに向かって、友人から借りてきたゲームをやっていた。戦闘機を操縦して、敵を倒していく、という古臭いゲームの新装版で、回転しながら飛んでくる板のような物体に向かって、ひたすら弾を発射していたところだった。確か、二百五十六発の弾を当てると、その、絶対に壊れないと思われている板を倒すことができる、と聞いて、それで試していたのだ。二百五十六という数字がいかにも、真実っぽかった。

ただいま、と玄関から上がった姉は、いつもならすぐに二階の自分の部屋に上がっていくのに、その時は僕のいる居間を横切り、冷蔵庫から缶ビールを取り出し、蓋《ふた》を開けた。そして、「優樹、あのさ、富樫君ってどう思う?」と訊いてきた。

その時の僕はもちろん、二百五十六まで数を数えるのに必死だったので、返事ができなかった。

「今日、別れてきたんだけどさ」姉が続けた。

画面からその物体が消えるぎりぎりのところまで、僕は連射を続けたのだけれど、結局、うまくいかず、板的な物体は回転しながら消えた。舌打ちが出る。

「富樫さん、好きだったんだけどなあ」と画面を見つめながら告白をすると姉は、「わたしのほうが好きだったって」と意地を張るような言い方をした。

だんだんに僕は、「これで、富樫さんともお別れなんだな」と気づいた。「やっぱり、別れるんじゃないか」諦《あきら》めと苛立ちを感じながら、そう思った直後、僕の操っていた戦闘機が敵に倒された。

「彼女、どこに行ったんだろうね」富樫さんは相変わらず、前を向いたままだ。お互いに、ジッパーを上げず、依然として、便器に向かっている。どうにも間が抜けていた。僕の小便はとうに終わっている。たぶん、富樫さんもそうだろうが、その場から離れなかった。

「もう、三年ですよ」姉が行方不明になってから、三年になる。「でも、富樫さんも知ってたんですね、姉の行方不明のこと」

「優樹君のお母さんから連絡があったからね」

姉は三年前、唐突に、「ちょっと、出かけてこようと思うの」と言って、うちを出発した。富樫さんと別れてからずいぶん経っていたけれど、僕はあれが例の、「男と別れた後の儀式」だったのではないか、と睨んでいる。彼女はいつも、男の人と繋《つな》がりが切れると、その切り口が塞《ふさ》がるのを待つかのように、別の場所に行く。まるで、カナダと北極を行ったりきたりするシロクマみたいに。

「どこに行くわけ?」と訊ねた時、「北アメリカ、最終的には、チャーチル、北極」と答えがあった。彼氏と別れるたびに、その遠出の距離が長くなっていたことを考えれば、あながち不思議ではない目的地だったけれど、両親は心配した。

寒くないのか? 危なくないのか? と確認する両親に対して姉は余裕の笑みを浮かべた。「カナダを一周して、でもって、シロクマ観て、帰ってくるだけだって」

だけだって、という語尾をつけられると、どんなに大変な作業も大したことがないように思えた。

けれど、結局、姉は帰ってこなかった。カナダに向かって出国したのは間違いない。そういう記録が残っていた。らしい。けれど、カナダで起きたあの大地震のせいで、何もかもよく分からなくなってしまった。道路が陥没し、ビルが倒壊し、海岸沿いで崖崩《がけくず》れが起き、大勢の観光客が亡くなった。日本人も百人近くが行方不明になった。正確な死者数や身元についてはほとんど不明だった。僕の両親はもちろん、カナダに飛んで、二ヶ月ほど現地で姉を探し回って、遺体の確認をしていたけれど、結局、生きている姉も死んでいる姉も見つけられなかった。見つけられなかっただけだって、という言い方もできる。

「でも、どうして、優樹君のお母さんは、俺に連絡してくれたんだろうな」

「最後の恋人ですからね」僕は、最後の、という部分を強調する。そしてそれから、この際だから、という気持ちで、「富樫さん、あれ知ってます?」と訊ねた。

「たぶん、知ってると思う」富樫さんは、僕が説明する前から、断言した。

「去年、ネットのニュースで見たんですよ。北極で、人の死体のようなのが発見された、って」

富樫さんは、やっぱりそれのことか、という反応を見せた。驚かず、笑った。

その記事は、真偽不明のニュースとして取り上げられていた。一説によれば、例の大地震で亡くなった人が海流に乗り、流氷のところまで流れた、ということのようで、別の説によれば、たまたま体格のいいアザラシの死骸が人間に見えた、ということだった。ただ、無防備にシロクマに近づいた人間が、襲われて、食われてしまったのだ、とする説もあることはあって、僕は根拠はないのだけれど、それが姉だ、と確信していた。白虎刀や葛餅を持って帰ってくるかわりに、姉は、ホッキョクグマに食われたのではないか。

「優樹君も思ったんだ?」

「ええ」と首肯《しゅこう》した。「姉貴なら、やりかねない」僕たちは便所の壁に向かって、喋《しゃべ》りつづけている。「シロクマに襲われた姉は、きっと嬉しそうにVサインでも出した気がします」と今まで頭の中でだけ想像をしていたその場面を、口に出した。

「驚いた」富樫さんが噴き出す。「俺もそう思った」

さて、とようやくジーンズの下に穿《は》いたトランクスをごそごそとやり、ジッパーに手をかける。便所の中はどこか涼しくて、そのせいか、もう一つ、別の場面を思い出した。やはり、姉に関する記憶で、僕がまだ高校生だった頃のことだ。冬だ。

その日、CDを借りるために姉の部屋を訪れたところ、彼女はベッドで布団に包《くる》まりながら、「寒い寒い」と唸《うな》っていた。

僕は、CDの並ぶ棚を眺めながら、「寒いなら、点《つ》けりゃいいのに」とファンヒーターのことを指摘した。「灯油なくなったわけ?」

「違うって。温暖化、温暖化」布団を防災頭巾《ずきん》のように被《かぶ》った彼女は、そう唱《とな》えた。「この間、ニュースで知ったんだけど、温暖化のせいでね、北極の海が凍る期間が短くなってるんだって」

「それが」

「あのねえ、ホッキョクグマはさ、凍らないと北極に渡れないんだよ」常識でしょうが、学校で何を習ってるんだ、と彼女は居丈高《いたけだか》に言う。僕の常識には、ホッキョクグマの欄はない。「北極に行かなきゃ、アザラシも食べられないでしょ。アザラシが唯一の食料なんだし。子供も産めないでしょ」

「それが？」僕は、鬱陶《うっとう》しい、と感じながらも目的のCDをつかんだ。

「ちゃんと想像してみた？　カナダのチャーチルにいる、シロクマのことを思い浮かべてみてよ」

不本意ではあったけれど僕はそこで、行ったことはおろか、見たこともないくせに、チャーチルの町の景色を想像した。

「その町でホッキョクグマが、ぽつんと座り込んで、ハドソン湾の凍るのを待ってる姿を想像してよ。まだかなあ、おかしいなあ、まだ凍らないのかなあ、って首を捻《ひね》りながら、待ってるんだよ」

思い描いた、その架空のチャーチルで、シロクマはしゃがみ込んで途方に暮れていた。子供を連れて、なかなか寒くならない状況に戸惑い、「変だな、寒くならないな、変だな」と悩んでいる。

「確かに、可哀想かもしれないね」と渋々《しぶしぶ》ではあったけれど、認めざるをえない。

「でしょ。だからわたしはね、温暖化防止のためにも、暖房を使わないの」

「無理だって」僕は即座に言った。

「無理ってどういうこと」

「温暖化なんて、みんな、他人事だから」誰も、シロクマやアザラシのことなんて気にしない、と言うよりも気にする余裕がない。「法律を変えたり、よっぽど強引なことをやらないと、誰も暖房を消そうとはしないって」

「あ、そ、優樹君は、シロクマよりも、便利で快適な暮らしを選ぶってわけだ」と姉は揶《や》揄《ゆ》してきたが、「その通りに決まってるって」と僕は答える。「姉貴だってさ、すぐに挫折して、暖房を点けるよ」と予言もした。

「わたしは、大丈夫」彼女はそう強く言った。「それに、富樫君は、わたしのこと、偉いって言ってくれるんだから」

「富樫さんは優しいから、話を合わせてくれているんだって」

「違うよ。でもさ、富樫君といると、本当に、ほっとするんだよね」姉がのろけることはよくあったけれど、そうやって、客観的な物言いをするのは珍《めずら》しかった。「たぶん、ずっと一緒にいられる気がする」

「過信しないほうがいいと思う」と言いつつ僕も、富樫さんと姉はずっと一緒にいるような気がしていた。

「とにかくさ、あんたも、少しでも良心があるなら、寒くなれ、って念じるように」姉は、部屋から出る僕の背に、そう言った。

数日後、ＣＤを返しに姉の部屋に行ったところ、彼女はファンヒーターを点けて、その前で暖まりながら、真剣な顔で、「寒くなれー、寒くなれー」と言っていた。

「良心はどこなんだ」と僕が責めると彼女は、「わたしの両親は、下でテレビを観ていますので」と悔《くや》しそうに答えた。


「どうしたんだ？」すでに富樫さんは、便器から離れ、手を洗っている。

僕も洗面台へと移動し、「何だかぼうっとしちゃいました」と苦笑した。蛇口《じやぐち》から水を出す。手を洗いながら、「人と人の繋がりって、意外に脆《もろ》かったりしますよね」と言っていた。富樫さんとずっと一緒にいるつもりだった姉を、思い出したからかもしれない。

「え」

「いくらそれまでに、楽しかったことが一杯あっても、別れる時には役に立たないんですかね？」

富樫さんはいったい何の話だろう、と訝《いぶか》しがっていたに違いない。鏡に映った僕を見る。

「富樫さん、神戸って遠いと思いますか？」

「神戸？　うん、遠いんじゃないかな」

「来月から、僕、神戸に行くんですよ。転勤で。千穂はこっちにいるし」

「遠距離だ」

「ええ」

「どうするんだい」

「どうしようもないです」

「どれくらい付き合ってるんだっけ？」

「二年です」

「二年」富樫さんは、二年間の長さを嚙み締めるかのように言ってから、「微妙な感じだなあ」と笑った。

「困ってます」僕と千穂の間には結婚の話が出たこともないし、千穂が仕事を辞めることもない。もちろん、辞められても困るし、僕も会社の辞令には従うほかはない。「昔から、姉がいろんな男の人と付き合うのを見ているせいで、人と人って意外に簡単に別れるんだな、って思っちゃってるんです。どんなに楽しくても、それはそれなのかな、って」

「昔、お姉ちゃんの彼氏だった俺も、今は、別の女性と結婚しようとしているし？」

「ですね」と僕は笑う。「でも、今日、富樫さんが、声をかけてくれて嬉しかったです。

無視されるかと思ったんで」

「逃げ遅れただけだよ」富樫さんは微笑み、「でもさ」と何か気休めを口にしなければ、と使命感に駆られたのか、「神戸は遠くないよ。同じ日本だし」と言った。

「さっき、遠いって言いましたよね」苦笑すると彼は、必死に言い訳を考えたのかしばらく黙って、そして、「いや、あれは神戸じゃなくて、欧米って聞こえてさ」とつらそうに続けた。

「無理やりだ」

だよな、と言って富樫さんはハンカチで手を拭《ふ》く。「いつも思うんだけど」

「何ですか?」

「サミットとかで、各国の首脳が小便で、隣り合わせになったら、何喋ってるんだろうね」と富樫さんは真面目な顔で言う。

## 6

アイスクリームの店を出た僕たちは、また園内をぶらつくことにした。富樫さんと芽衣子さんは、夜に打ち上げられる花火を観てから帰るのだと言う。

園内のステージではすでに、イベントが始まっていて、音楽が聞こえた。少人数によるジャズ演奏なのか、サクソフォンの音色《ねいろ》が緩《ゆる》やかに、あたりを漂っている。

「花火の後で、クイズ大会とかもあるらしいよ」と千穂が嬉しそうに、僕に教えてくる。クイズ大会ってそんなに魅力的な催《もよお》し物だっけ、と確認したくなるくらいに彼女の目が輝いていた。

まだ、花火までは時間があるし、アイスクリームの直後で何だけれど、夕飯を食べようかと思うんだ、と富樫さんは話してくれた。「優樹君たちは？」

今までの流れからすると、「邪魔と言われてないうちは邪魔ではない」理論を盾《たて》に、夕食も同席してしまうべきかなと思ったのだけれど、千穂が右眉を引き攣《つ》らせ、意味ありげな視線を向けてくるので、「いえ」と僕は応えた。「夕食、僕たちは別の場所で簡単に済ませます」

「そう」富樫さんは、残念そうにも安堵したようにも見えた。「花火は？」

「花火は観ていこうと思います」

「どうして、夕食一緒に食べなかったの」と千穂が歩きながら、訊ねてきた。入り口脇のファストフード店で買ったホットドッグを持って、齧《かじ》っている。ゆっくり食事を摂《と》るよりも、食べ歩いて夜の園内を楽しもう、ということで意見が一致していた。

「右眉」僕は手に持った、アメリカンドッグから口を離し、指摘する。「千穂はさ、何か言いたげな時、右眉をぴくぴくさせるだろ」

「嘘?」

「ほんと。で、さっきは、食事は別にしたい、って訴えてるみたいだったから」

「わたしの気持ち、伝わっちゃったんだ」

「伝わっちゃったねえ」

「嬉しいねえ」と千穂が言う。「何か、繋がってる感じがする」

「そうかも」僕は答えながらも、胸の中で、「繋がってる」という言葉が弾んだ。繋がってる。今は繋がってる。今は、だ。いつまで、繋がってるんだ? 自分の内側に、これきりというくらいに顔をしかめ、奥歯を嚙み締め、そう問いかけている僕がいる。いつまで、繋がってるんだよ。答えてみろよ、と。

園内の順路には、家族連れの姿も多く見られ、檻《おり》の前では、子供を肩車した男性や、少女たちと手を繋いだ婦人などが集まっていた。

「でも、何で、富樫さんたちと一緒の夕食は、嫌だったわけ?」

「嫌じゃないってば。ただ、さすがに悪いかなあ、って思って。わたしだって、そのくらい分かるんだから」千穂は、誰にも叱《しか》られていないのに言い訳口調だ。「それに実は、さっき、芽衣子さんと二人でいる時に、聞いちゃったんだ」

「何を」

「富樫さんって、芽衣子さんに結婚を申し込んだんだって」

「ああ」

「でも、芽衣子さん、悩んでるんだって」

「そっか」関心があるにもかかわらず、そんな返事しか出せなかった。即答を得られなかった富樫さんの気持ちを考えそうになり、やめた。「芽衣子さん、何を悩んでるんだろう」

「そこまでは訊けなかったんだけど。でも、芽衣子さん、ここに来て、いろいろ考えたかったんだって。そう言ってた」

「ここって動物園に？　いろいろって何を？」

問い掛けた僕の頭にはすぐさま、ホッキョクグマの姿が浮かんだ。凍った地面に座る、白いぬいぐるみのような、あの熊の姿だ。

いつの間にか僕たちは、マンドリルの檻の前にいた。すっかり日が沈んだ空の下では、中の様子が把握《はあく》しにくくて、僕と千穂は、檻にかなり近寄って、じっと中を覗き、動くものがないか隅々《すみずみ》まで見つめた。「マンドリル、いないのかな」

「息をひそめて、わたしたちを観察してるのかもよ」

そこで僕は、職場の先輩に聞いた毒にも薬にもならない話を再び、思い出して、「そういえばさ」と口にした。爬虫類館では、「聞きたくない」と拒絶されたけれど、「先輩から聞いた」という前置きを省略すれば、仕事の話とはばれないだろう。「そういえばさ、動物園仮説って知ってる？　仮説ってほどじゃないけど」

「何それ」

「もし宇宙人がいたらさ」

「いきなり？」千穂がそこで高い声を出し、はしゃいだ。

「宇宙人の話はいつだって、いきなりなんだって。とにかく、ずいぶん前から、『宇宙人が存在するのなら、どうして姿を現わさないのか』っていう議論があるらしいんだけど」

「変な議論」

「それで、何十年か前に、あるアメリカの天文学者がこう言ったんだって」

「何？」

「地球は、宇宙人の動物園に指定されていて、だから、近寄ってこないんだ、って」

千穂が目をしばたたかせた。

「たとえば、僕たちだって、この檻の外からしか、マンドリルを眺めないだろ、それと一緒で」

「宇宙人も、地球に近寄ってこないってこと？」千穂が嬉しそうに歯を見せた。「檻の外にいるから？」

「そうそう」

「くだらないねー」

「くだらないよな」でも、今の僕と千穂に必要なのは、そういう、何も考えないで済むくだらなさではないだろうか。


さらに園内を歩いているうちに僕たちは、猛獣コーナーへと足を踏み入れ、意図《いと》したわけではないけれど、ホッキョクグマの水槽の方向へと向かっていた。洞窟めいた順路を進んでいくと、突き当たりに水槽がある。夜の暗さのせいで、水槽で揺れる水がどこか幻想的だった。僕たちはその幻想に引き寄せられるかのように、近づき、途中で足を止めた。

富樫さんたちの姿を前方に見つけたからだ。

二人は、水槽の前に、僕たちに背を向けて立っていた。

富樫さんたちが、水槽を眺めながらも、何か話をしている。シロクマの可愛らしさを語り合うにしては、二人とも真剣な表情だった。

「結婚のことかな」と千穂が口にする。

「どうだろう」

ホッキョクグマの前だったせいか、僕は、「きっと姉が、富樫さんたちの邪魔をしているに違いない」と思いもしたけれど、でもそれは根拠なしの憶測に過ぎなかった。富樫さんたちには富樫さんたちの問題がある。僕たちには、僕たちの問題がある。姉はいない。

しばらく僕たちは、水槽に近づくことも、その場を離れることもせず、黙っていた。脇を慌《あわただ》しく少年が通り過ぎていく。

「大丈夫かな」千穂の唇からその言葉がこぼれた時、僕にはそれが、富樫さんたちのことを指しているのではない、と分かった。

「大丈夫だよ」と答える。この半月で、繰り返されてきたやり取りだった。

大丈夫かな?

大丈夫に決まってる。言葉なら、簡単だ。

「繋がってるかな」千穂が言う。前を見たままだった。繋がってるに決まってる、と答えようとしたが僕は声を出せなかった。あまりに簡単で、嘘臭《くさ》かったからだ。

「あ、シロクマ、いるよ、あそこ」千穂が、はっと気づき、人差し指を突き出した。僕たちの場所からはずいぶん離れているが、水槽の奥、水面より上の陸地の部分に、シロクマらしき影が見えた。壁に向かって、鼻をこするようにしている。本当だ、と僕はうなずき、「ホッキョクグマは壁を見ている」と言った。思いつき、「壁を見ているホッキョクグマ」と言い直し、さらに、こう続けた。

「壁を見ているホッキョクグマを、見ている富樫さんたち」

「を、見ているわたしたち」千穂が嬉しそうに言う。

「を、見ている宇宙人」僕が重ねると、千穂が爆笑した。

「を、見ている優樹君のお姉さん」

「な」僕は当惑した。「何で、そこで姉貴が出てくるんだ」

「だってさ、優樹君のお姉さんって、みんなに影響を与えてそうじゃん」

千穂は、僕の姉のことは、僕から聞いた話でしか知らないはずだった。それなのに、よく分かるなあ、と感心した。「単に、はた迷惑な人なんだよ。それに何で、姉貴が、宇宙人の外側にいるわけ」と言う。

「そんな気がしない？」

「しないよ」

# 7

花火大会に間に合うように、園内ステージの近くにやってくると、富樫さんたちがすでに、いた。背後のステージでは、ジャズ演奏がまだ続いている。ドラムとウッドベース、サクソフォンにギターという少人数のバンドで、耳に心地良い、聞き慣れた曲をやっているせいか、騒々《そうぞう》しさはまるでなかった。

「この場所で、クイズ大会やるのかな」千穂が後ろのステージを振り返る。

「クイズが好きなんだね？」富樫さんが口元を緩めた。

「だって」と千穂は照れた。「クイズって、答えが出るじゃないですか」

富樫さんが、どういうこと、という具合に首を傾《かし》げた。

「わたし、答えが出るのって、好きなんですよ。納得できるし、分かりやすいし」

「ああ」富樫さんはそこで不意打ちを食らったかのような声を発し、隣の芽衣子さんにちらっと目をやった。「そうだね、クイズは答えが出る」と小さく微笑んだ。芽衣子さんもふっくらと表情を緩め、「答えが出るのはいいね」と息を洩《も》らした。羨《うらや》ましい、とささめいたようにも聞こえた。

富樫さんたちは、答えの出ない問題で悩んでいる。僕と千穂もそうだった。来月から僕たちがどうなるのか、どうすべきなのか、考える必要もないのか、考えても無駄なのか、答えは分からない。「はいこれが正解です」と解答が出てくればどれほど楽だろう。これは、クイズじゃない。

次第に人だかりができはじめた。僕たちの周りにも、「花火どこー？」と父親に訊ねる少年であるとか、「今日、うちに泊まってく？」と話し合ってる男女であるとかが集まっていた。

「あ、飲み物、配ってるよ」千穂が、僕の脇腹を叩いた。彼女の視線の先を見やると、確かに、タキシードで正装をした男が、トレイに載せた紙コップを配り歩いていた。仰々《ぎょうぎょう》しいほどに鍔《つば》の大きな帽子を被り、手には白手袋をつけ、芝居がかった足取りだ。「こっちにも持ってきてくれないかな」と千穂が言う。

ステージからは、静かにギターの音が聞こえはじめた。

先ほどまではサックスの音が響いていたけれど、いつの間にか、エレキギターがぽつりぽつりと音色を出し、アルペジオと言うのだろうか、雰囲気が変わった。おや、と思って振り返ると、右隅にいたはずのギター演奏者が、いつの間にか中央のマイクの前に立っていて、明らかにジャズとは違う、ポップミュージックのメロディを弾きはじめている。新鮮と言うか、違和感と言うか、「あれ、ジャズじゃなくてもいいんだ?」と僕は虚を衝《つ》かれた気分になった。しかも可笑《おか》しいことに、同じステージ上にいるサックス奏者やドラマーも目を丸くして、やっぱり、「あれ、ジャズじゃなくてもいいんだ?」というような、驚きの表情をしていた。

「この曲」と千穂に言う。そこにギターの音が見えるわけでもないのに、僕は人差し指で宙を指差した。「この曲、知ってる曲だ」

「何の曲?」

マイクから歌声が流れ出す。とても通りのいい声で、すうっと周囲に広がった。あ、と思い反射的にまたステージを見た。歌っているのはギター演奏者だ、と確認してから少し動揺した。

動揺の原因を考えるよりも前に、「あ、優樹君、飲み物来たよ」と千穂にシャツを引っ張られる。正装の男が、すぐ前に立っていた。

「どんな飲み物があるの?」と千穂が紙コップを指差すと、帽子を深く被った正装の男は、「ビールとオレンジが」と言った。

「じゃあ、オレンジがいい」

そのすぐ後だった。

正装の男が、トレイを持たない片手を僕たちの前に出し、そして、さささっと手を動かしたかと思うと、何もなかったはずのその手元に花束を出現させた。

「え」

僕は驚いて、声を上げる。富樫さんや芽衣子さん、千穂も口を開けていた。背後のバンド演奏には、ドラムとベースが加わったらしく、曲に躍動感が増しはじめていたけれど、とにかく僕はその花束に、呆気《あっけ》に取られた。

正装の男の手から唐突に、まるで手品のように、花束が出てきた。本物そっくりの可愛らしい造花だった。おー、と近くにいる人たちから低い驚きの声が上がる。「すごいすごい、手品だ」と誰かが言った。

正装の男性を見るけれど、彼は下を向いているので顔が分からない。献上するかのように花束を突き出していた。その花束を見つめてから、富樫さんに視線を送った。右眉はぴくぴくと引き攣っていたことだろう。「この花束は、富樫さんのものですよ」と伝えたかった。

察してくれたのかどうかは分からないけれど、富樫さんはその花束を受け取り、隣にいる芽衣子さんにすっと差し出した。

芽衣子さんが受け取ると、千穂が本当に嬉しそうに、手を叩いた。僕はこういう場面で、すぐさま拍手のできる彼女が、やはり、誇らしい。

後ろから聞こえてくる曲が迫力を増した。この時点で僕はこれがビートルズの曲だと確信していたけれど、その演奏が映画のクライマックスさながらに響いて、周囲を全部包み込んだ。

そのせいか、花束を渡した富樫さんと、花束をもらった芽衣子さんが無言で身体を寄せ合う光景が、とても美しい場面に見え、僕は思わず息を飲む。


「すごいね、手品」千穂が高揚《こうよう》した声を上げた時には、正装の男はすでにいない。富樫さんたちは黙ったたままだった。やがて、芽衣子さんが花束を持ったまま、富樫さんの腕に自分の腕を絡《から》めた。暖を取ったわけではないはずだ。

しゅるしゅる、と空気を掻《か》き混ぜる風のような音が聞こえる。大きな音がして、花火が開いた。わっ、と歓声が上がる。色鮮《あざ》やかな円が、夜空にふわっと広がり、すぐに消えた。ぱらぱらと小気味良い音が散る。消えたかと思うと、次のしゅるしゅるが聞こえ、また、夜空に輪ができる。また、消え、ぱらぱらと散らばった。

綺麗だ、と内心で声を上げ、ステージを振り返る。花火がはじまったためか、すでに演奏は終わっていて、演奏者たちがステージから降りるところだった。

僕には、さっきのあのビートルズの曲は即興《そっきょう》で演奏されたのだ、と分かっていた。ギター奏者の彼が急に演奏をはじめ、歌まで歌いはじめて、他の演奏者はそれに驚いたに違いない。けれど、彼らはそれを咎《とが》めず、たぶん、アクシデントに便乗するのはジャズ演奏者にとっては生きがいみたいなものだろうから、むしろ喜んで、その曲に、「乗った」のだろう。あれは、そういういきさつで演奏された、『Dear何とか』だったのだ。きっとそうだ。

ギター演奏者がステージの階段を降りる。似合わない背広姿だ。彼がこちらを見て、指を向けてくるのは見えた。笑いながら彼の口が動いた気がする。もちろん僕にはその言葉は聞こえなかったけれど、何と言ったかは想像できた。「ビートルズを聴け！」だ。彼はいつもそう言っていたではないか。

「成田山の法則」を僕は思い出す。芽衣子さんはこう言った。「元日の日に全員が、成田山に行こう、と思っても不思議ではないのに」

そうだ、不思議ではない。

今日、僕はこの動物園でたまたま、富樫さんと会った。それがありえるなら、他もありえる。つまり、他の、「姉の彼氏」がここに来ていることも、だ。

だから、と僕は内心で決め付ける。だから、ステージにいたあのギター演奏者は、何代目の彼氏かは忘れてしまったけれど、ミュージシャン志望だったあの、「姉の彼氏」で、そして、さっき花束を出した正装の男は、やっぱり何代目かは分からないけれど、手品が得意だったあのバーテンダーだった。そうであっても不思議ではない。と言うよりも、それくらいのことはあってもいいじゃないか、と僕は思った。

彼らは、偶然ここにいる僕に気がつき、直接、挨拶をするのは気がひけて、何と言っても、別れた彼女の弟だし、ビートルズとか手品とかそういう回りくどい方法で、僕との再会を祝ってくれたんじゃないだろうか。

「何で泣いてるの？」千穂が指差してきた。

「分からない」手で拭《ぬぐ》う。実際、自分がなぜ泣いているのか、分からなかった。ただ、

「繋がってたから」とだけ答えた。

「そっか」千穂は、今の僕の状況を知っているはずもないのに、腑《ふ》に落ちたような声を出す。

「大丈夫だよ」と気休めではなく、まさに、クイズの答えが現われたかのような、そんな思いで、口にしている。「分かったんだ」

打ちあがる花火を、千穂の隣で見上げる。目の前でやはり、富樫さんたちが並んで空を

見ている。

ふいに有名な言葉を思い出した。「愛するとは、お互いに見つめ合うのではなくて、同じ方向を見つめることである」という、あれだ。何だか、今こうやって、僕たちが並んで花火を見ている状況に相応《ふさわ》しいと思った。

大丈夫だ、ともう一度声を細くして言うと、千穂は、「知ってるって」とやはり小声で答えた。

## 8

クイズ大会はステージで行われた。花火が終わり、残った客がベンチのような席に座り、ステージ上の司会者と向かい合っている。夜に、照明に照らされた小さな舞台に集まる僕たちは、キャンプファイアーをやる、物好きな高校生のような無邪気さを漂わせていた。

選ばれた何人かが解答者として、ステージ上の解答者席に並んでいる。千穂も参加するものだとばっかり思っていたけれど、彼女は遠慮した。「答えは出たし」とぽつりと言いもした。

僕の右には千穂がいて、左側に芽衣子さんが、そのさらに左に富樫さんが並んでいた。芽衣子さんの膝元には、小さな花束があった。おそらくこうやって四人で顔を合わせることは、二度とない。

けれど、寂しさはなかった。人と人の繋がりとはそういうものだ。少なくとも、そう信じようと僕は思いはじめている。

「では問題です」ステージ上の司会者がマイクで喋りはじめた。お金を賭《か》けているわけでもないのに、賞品だってしょぼいのに、緊張感が漂う。司会者は、はっきりとした口調で、出題した。「ホッキョクグマの」と言った時点で、僕はすでに笑いそうだった。

「ホッキョクグマの、身体は白く見えますが、では、その毛の色は実際には何色でしょうか」と来た。

噴き出さずにはいられない。芽衣子さんの隣で、富樫さんも笑みをこぼしている。

ほら、やっぱり繋がっている。

僕と富樫さんは、芽衣子さんを挟み、顔を見合わせた。富樫さんは、跋《ばつ》の悪い様子で、眉をハの字に傾けている。

それから僕たちは、高校生が無理やり自己紹介をさせられるような、照れと面倒臭さを滲《にじ》ませて、苦笑まじりに、「とうめーい」と小さく、答えを口にする。

それを見ている宇宙人。
を、見ている姉。
と、思って僕は、愉快な気持ちになる。

参考・引用文献
『人間の土地』サン＝テグジュペリ著・堀口大學訳　新潮社
『広い宇宙に地球人しか見当たらない50の理由　フェルミのパラドックス』
スティーヴン・ウェッブ著・松浦俊輔訳　青土社

# 魔法のボタン

石田衣良

石田衣良（いしだ・いら）
1960年東京都生まれ。成蹊大学経済学部卒業。広告制作会社勤務後、コピーライターとして活躍。1997年、「池袋ウエストゲートパーク」で第36回オール讀物推理小説新人賞を受賞しデビュー。翌年、受賞作を連作短編集にした同名の単行本を出版、ドラマ化され大きな話題となる。2003年『4TEEN』で第129回直木賞を、2006年『眠れぬ真珠』で第13回島清恋愛文学賞をそれぞれ受賞。著書に『うつくしい子ども』『娼年』『スローグッドバイ』『1ポンドの悲しみ』『約束』『東京DOLL』『美丘』など多数。最新刊は『REVERSE』。

ぼくのかよっていた幼稚園では、「魔法のボタン」ごっこが流行《はや》っていた。肩の骨の先、ぽつんと島のように肌から立ちあがった丸い部分を、みなボタンと呼んでいたのだ。右肩のボタンを押すと、その子は透明人間になって、その場の誰からも見えなくなり、自由に好きないたずらをしてもいい。左肩のボタンを押すと、身体《からだ》は石になり、つぎに誰かが押すまで固まっていなければならない。チューリップやグラジオラスや三色スミレが咲く園庭での、ちょっとした遊びだ。

ぼくは今でも、すべての人に魔法のボタンがあればいいのにと思うことがある。右のボタンを押すと透明になる。左のボタンを押すと石になる。東京にはあまりにたくさんの人がいすぎるし、せわしなく動きすぎる。みんなでボタンを押しあって、消えたり固まったりすればいいのだ。そうしたら、この街だってずっと静かになる。

透明人間になれるなら、失恋の悲しみも透《す》きとおって軽くなり、ひとりで泣いているところを見られずにすむだろう。石になればじっと固まったまま、悲しみを結晶化させて心の底深く沈められるだろう。

でも、ぼくたちに魔法のボタンはない。

だから、こうしてきみを待つことになる。

いらいらと腕時計を確かめ、きっときみはまだ寝ているに違いないと思いながら。

まあ、恋人でも愛人でもないからしかたないけれど、二十年を超《こ》える友人にたいしてちょっと冷たすぎるのではないだろうか。そうだよね、萌枝《もえ》。


下北沢《しもきたざわ》のオープンカフェというのは、待ちあわせの場所としては微妙だった。古着や雑貨を探して狭《せま》い路地をたくさんの人がいきかっている。渋滞した人の流れのほんの五十センチほどのところで、足を組んでデッキチェアなんかに座っているのだ。

光りは夏の夕暮れの澄《す》んだ色。ファンタ・オレンジほど深くはないが、バヤリースよりも濃いくらい。アスファルトをわたってきた風には、昼間の熱気がふくらんだまま残っている。ぼくは携帯電話を抜いて、指が覚えている番号を選択する。

「な……」

寝ぼけたきみの声が一音だけもどってくる。メールの入力予測なら、どんな候補があがるだろうか。なんだよ、寝てるのに。なにいってんだ。なんでもいいだろ。不機嫌な返事なら、どれでもきっと正解だ。

「萌枝、もう約束の時間、二十五分もすぎてるんだけど」

寝起きのざらざら声できみはいった。

「ごめん。朝までのんでたんだ。十分でいくから」

それをきいて、ぼくのほうがあわててしまった。

「いいよ、急がなくて。女なんだから、ちゃんとして……」

通話は途中で切れてしまった。呆然《ぼうぜん》としていると、となりのテーブルのカップルがおかしな顔でこちらを見る。ぼくは携帯を閉じて、アルミ製のフォールディングテーブルにおいた。頭上に張りだしたケヤキの若葉が一枚、アイスラテのグラスの横にある。薄く伸ばした水のような葉を指先でつまんで、したの敷石に落とした。

なんでもない、もう慣れているという顔で、足を組む。そのまえに瑞々《みずみず》しい若葉を靴底で踏みつけてやった。

十分後にほんとうにきみはやってきた。よれよれのブルーグリーンのジャージに、ブーツカットのジーンズ。長身なので、似あわなくはない。寝起きで髪を直すひまもなかったのだろう。セミロングの髪は無理やり砂色のキャスケットのなかに押しこんである。ぼさぼさのおくれ毛が首筋ではねていた。休日の顔は当然のすっぴんだ。

「ごめん、ごめん、待った?」

三十五分待っていたが、急に約束をいれたのはこちらだったのでしかたない。軽くうなずいて、ぼくはいう。

「それより、またのみ会だったんだ。もう朝まではのまないっていったくせに」

「わたし、ダメなんだよね。アルコールがはいると自分を抑えられなくなるというかさ。のむと、ああ自由なんだって思っちゃう。それよりさ、そっちはやせたんじゃない」

ぼくの体重はまえのガールフレンドと別れてからの四日間で、三キロ減少していた。なんとか生き延びた五日目のその日は、被災後初めての土曜日である。

「やせた。ダイエットには失恋はいいみたいだ」

「でも、隆介《りゅうすけ》にはダイエットの必要ないじゃん。あばら骨が浮いた身体なんて、女は好きじゃないよ」

ジャージの袖《そで》ぐりがきつそうなきみの二の腕に目をやった。

「酒太りの二十五歳キャリアガールだって、男は好きじゃないと思うけどね」

「せっかく哀れな失恋話でもきいてやろうかと思ってきたのに、ケンカ売るのか、コラ」


萌枝は幼稚園の園庭から、ちっとも変わっていなかった。あのころから男子と取っ組みあいのケンカをしていたし、ものごとをななめに見て、ひどく老成した皮肉な口をきいたのである。それは二十年後の今もまるで変わらなかった。

「いや、ケンカをするような元気はない。ここのところ、ほとんどなにもたべていないし、なにを見ても悲しいんだ」

きみはやってきたウエイターに目をあげる。

「そんな弱虫もういいや、コロナをひとつ」

「寝起きでビールかよ」

「むさい男の失恋話なんて、のまなきゃきいてられないもん」

きみは黒いエプロンで締めあげたウエイターの腰を見送っていう。

「やっぱりあの逆三角がいいんだよね。いい機会だから、隆介はもうすこし身体鍛《きた》えたら。早紀《さき》ちゃんも見直すかもしれないよ」

目のまえが青くなった。世界がブルーに染《そ》まる。なんとか声を震わせないようにするので精いっぱいだった。

「ぼくのまえで、二度とその名前をださないでくれないか。お願いだ」

へへへときみは笑った。

「逆療法っていうのもあるじゃない。今夜じゅう、ずっとその名前をいうというのはどうかな」

きみの目を見て、真剣にいった。

「お願いだ」

届いたコロナのビンにライムの切れ端を押しこみながら、きみは軽くうなずいた。

「わかった。今夜は優しくしてやるよ」


遠藤《えんどう》早紀は大学を卒業後、就職して初めてつきあった女の子だった。小柄《こがら》でコケティシュでかわいくて、ベッドでは意外と攻撃的。体型はきみとは対照的だった。このままいけば結婚するのだろうと思っていたら、急に別れてくれといいだしたのだ。半年間ずっとふたまたをかけていたという。そちらの男（年収がぼくより三割多い商社マン）に先にプロポーズされて、ぼくのほうを切ることにしたのだそうだ。

散々抱きあった週末のデートの直後、火曜日に緊急呼びだしをくらって、一方的にその決心を伝えられた気もちを想像してみてもらいたい。それを百倍にすると、ぼくの心痛になる。恋心なんて皆殺しだ。ちびちびとメキシコ産のビールをのみながら、きみは冷静にきいていた。

「しょうがないよ。男だって女だって、心が変わることがある。恋が突然終われば、誰かが傷つくのはあたりまえ。でもさ、よかったじゃない。その女ろくでもない女だよ。ずっとふたまたかけてたってことは、毎週ふたりの男と寝てたってことでしょ。まあ、ちょっといいかもしれないけどさ」

なぐさめているのか、うらやんでいるのか、よくわからない言葉だった。ぼくが肩を落としていると、きみは続ける。

「結婚しなくてよかったじゃない。その女なら絶対に浮気しまくりだもん。まだ二十五でしょう、これからいくらでも出会いなんてあるよ。ねえ、ここでずっとビールのむの飽きたから、どっかのみにいこう」

ぐずぐずしてるときみはいう。

「わたしのおごりだからさ。近くにうまい居酒屋があるんだ」

ぼくたちがはいったのは下北沢の路地裏にある薩摩《さつま》料理の店だった。きみは焼酎《しょうちゅう》のオンザロック、ぼくはのむ気になれなかったけれどライムサワーを注文した。メニューを見ずに、カウンターの奥の大将にきみはいう。

「自家製薩摩揚げと空豆《そらまめ》の殻《から》焼きとゴマ豆腐《どうふ》、それにアボカドと水菜《みずな》のサラダに明太《めんたい》コロッケね」

いつも頼んでいるコースのようだ。ぼくは小声でいった。

「なんだよ、人を肴《さかな》にしてのみたいだけじゃん」

朝までのんだ腫《は》れぼったい目でウインクしてみせた。

「人の不幸は蜜の味。できたての失恋なら、最上級のステーキみたいなものじゃない。隆介だって、いっしょに暗くなるより、明るく笑い飛ばしてくれたほうがいいでしょ。それとも、これからお通夜《つや》モードに切り替える」

ぼくには静かなきみなど想像もできなかった。苦笑していう。

「いや、そのままでいい」

届いた料理をがつがつと平らげていく。ぼくは依然として食欲がまるでなかった。

「よくそんなにくえるな」

「あたりまえじゃん、わたしは失恋なんて間抜けなことしてないし、徹夜明けってひどくお腹《なか》が空《す》くんだよね。この明太コロッケたべないの。ソースつけないでこのままでいいんだけど」

ぼくはさくさくのコロッケをひと口たべた。舌に熱いものがふれたのはわかる。きっといつもならうまいといってお代わりをしたことだろう。頭は冷静に味を解析したけれど、それがほんとうにおいしいのかどうか、自分でもよくわからなかった。

「もうあの子とはよりをもどす気はないんでしょう。だったらはっきりしてるじゃん。どんな失恋の痛みも時間が解決してくれるもんだよ。もうすこし元気になったら、つぎの女の子探せばいいじゃない」

きみは黒焦《こ》げの殻から蒸し焼きになった空豆を取りだして、皮ごと口に放りこんだ。舌先で転がしながらいう。

「この熱々をかみながら、冷たいオンザロックをきゅーとやる。これがうまいの」

ノーメイクの顔で無造作《むぞうさ》に笑いかけてくる。

「ぼくのことばかりいうけど、萌枝はどうなんだ」

「そっちの恋の話だよ」

オンザロックが空になって、グラスのなかで丸く削《けず》られた氷の球がくるくるとまわった。

「あのさ、人間のやることって全部むきふむきがあると思う。この世界には恋にむく人とむかない人がいるんだよね。わたしはきっとむかないほうなんだ。だから、恋愛なんてがんばるつもりはない」

遠くを見る目。自分の過去でものぞきこんでいるのだろうか。するときみはなにかを発見したかのように急に声を張る。

「おんなじのひとつと焼きトンのゴマの葉包みね」

「なんだよ。またくいものの追加かよ」

ぼくはその夜初めて笑った。ちいさな笑いだったけれど、笑ったのは四日ぶりだったので、それはひどく新鮮な経験だった。胸の奥でかすかに愉快な振動が生まれて、のどと口内と口元を、痙攣《けいれん》的に吐く息で心地よく揺らす。笑いはいくつもの段階を踏んでおこなわれる高度に知的な作業なのだ。笑う猿も笑う犬もいない。ぼくはようやく人類に復帰した気分だった。

「元気になったじゃない。じゃあ、ばんばんのんじゃおか」

「いいね」

ぼくも薩摩焼酎のオンザロックに切り替えて、腰をすえてのむことにした。腕時計を見るとまだ八時まえ。土曜の夜はまだ長い。


アルコールにはタイムスリップ作用があることをぼくは忘れていた。へたくそな編集をした映画のように、つぎに気づくと閉店の午前四時になっている。ふたり分の財布をほとんど空にして、ぼくたちは店をでた。きみは酔っ払って、まっすぐに歩けないくらい。ぼくの身長は百八十センチ近くあるが、きみだって百七十はある。骨格だって華奢《きゃしゃ》とはとてもいえない造りだ。

ぼくは夜明けまえの下北沢の路地を、きみの肩を支えてよろよろと歩きだした。

「もういっぱいいこう」

「だめだ。帰ろう。こっちも限界だ」

きみは顔をあげて、じっとぼくを見つめる。

「シュージさん？」

ぼくの知らない男の名前だった。足元がふらついている。

「違う。ぼくだ、隆介」

「ああ、リュウかあ。泣き虫でおしっこもらしてたのに、案外いい男になったじゃん」

「余計なお世話だ。マンションに帰るぞ」

つぎの瞬間、きみは歩きながら寝息を立てていた。夢遊病者のようだ。ぼくは寝ている人と歩いたのは、それが初めての経験だった。きみの住む部屋までは、休みやすみ移動してもほんの七分くらい。ジャージのポケットから部屋の鍵をだして、オートロックを抜け、無人の廊下をいく。

そのころにはだんだんこちらの体力も厳しくなっていた。スチールの防火扉に押しとめるようにしても、きみの足の力は残っていないようだった。鍵を開けているあいだに、ずるずると座りこんでしまう。ぼくは死体でも運ぶように両脇に手をかけて、足を伸ばしたままのきみを室内に引きずりこんだ。靴《くつ》を脱《ぬ》がせたのは1DKのベッドルームのほうだった。身体を抱きあげ、なんとかベッドにのせる。

きみはそのまま足のあいだに夏掛けをくるくるとはさんで眠りこんでしまった。ぼくは床に座り、マットレスに背中を預けた。無防備なきみの寝顔を見る。すこしふくよかさを増したけれど、きみの顔は子どものころからシャープだった。教師と意見が対立したとき、きみは自分がただしいとわかっているときには絶対に譲らなかった。教育大学をでたばかりの新米教師を泣かしたときのことを、ぼくは今も覚えている。あのとききみは小学校四年生だったはずだ。

　ぼくたちは幼稚園から小学中学といっしょだった。高校だけ別々に分かれて、同じ大学で偶然再会したのである。びっくりはしたけれど、おたがいにそれがロマンチックな偶然だとは思わなかった。前髪が口元に落ちた。きみは眠ったままわずらわしそうに払う。ぼくは手を伸ばし、いく筋か残る黒い髪を顔から避《よ》けてやった。中学時代のきみは、クラスで二、三番目くらいにかわいかった。ということは案外もてていたということである。ぼくの友人にも、何人かきみのことが好きだというやつがいた。それが十数年してこんなふうに男の視線などまるで気にしない「恋にふむきな」女性になっている。なんだか不思議で、ぼくはしばらくきみの寝顔を見ていた。

　室内は女の子の部屋というより、受験生の部屋のようだった。かわいい小物やポスターや絵などはまるでなく、たくさんの本が床に積みあげられている。背表紙を読んでいくと、恋愛小説などほとんどなかった。歴史ものに海外ミステリーがどっさり。こちらも中年男の趣味である。

　ぼくは最後にうっすらと口を開けて眠っている寝顔を見てから、きみの部屋をでた。

夢のなかで鳴る携帯の呼びだし音は、電子の脅迫《きょうはく》のようだった。日曜日の正午にぞっとしながらたたき起こされる。

「ねえ、ちょっと、どうせならジーンズくらい脱がせていってよ」

萌枝の声だが、なにをいっているのかわからなかった。ぼくはきちんと八時間は寝ないとぜんぜん頭がまわらないのだ。

「ジーンズってなんだよ」

「だからさ、あのジーンズきつくって、ダメなんだよ。お腹が苦しくて変な夢みるし、ウエストラインに変な形の跡が残ってるし」

ようやく自分のベッドで起きあがった。

「無理してきついジーンズはいてる萌枝が悪いんだろ。寝てる女の子のジーンズなんか脱がせられるわけないじゃないか」

「女だなんて意識したことないくせに。あー、かゆい」

がさがさという音は、きっときみがお腹をかいている音なのだろう。吹きだしそうになってぼくはいう。

「ねえ、どうせ萌枝も今日の予定ははいっていないんだろ。遅めのブランチでもたべないか」

なんだか一瞬嫌《いや》な間があいた。耳を澄ませていると、きみはいう。

「どうでもいいけど、そういうブランチとかいうのやめてくれる。昼飯ならいっしょにいくよ」

「わかった。じゃあ、昼飯いこう」

待ちあわせの場所はまた同じオープンカフェになった。萌枝にもこちらにはうまいいいかえがないようで、しぶしぶあの外の店という。ぼくたちは日曜日の夕方に集合した。同じ夕暮れのオレンジの光りのなか、路地をいく人たちは前日とは違うのだろうが、まるで同じエキストラを頼んだようだった。萌枝はぼくを見ると真っ先にいう。

「そういうしゃれた洋服って、どこで買うの」

ぼくは特別におしゃれをしていたわけではなかった。白いコットンパンツにボーダーのシャツ、夜涼しくなったときのためにライトブルーのコットンジャケットを着ていただけだ。パンツとシャツは安物。ジャケットだけイタリー製のブランドものだ。

「そっちこそ、そういうジャージはどこで買うの」

萌枝はジーンズに懲りたようだった。今回は上下とも青いサテンの光沢《こうたく》のあるジャージ姿だった。

「渋谷《しぶや》のプーマ」

ぼくたちはカフェから、今度は下北沢のイタリアンにいった。シーザーサラダと春キャベツとアンチョビのパスタがうまい店だ。ピザは平均的。ぼくの好みでは生地がすこし厚すぎる。前夜に焼酎をのんで、つぎの日に白と赤のワインをやる。日本に生まれてよかったと思う瞬間である。

二日連続ののみ会だったし、つぎの日には仕事があったので、その日は真夜中の十二時に解散にした。きみの部屋まで送った帰り道、妙にぼくは素直《すなお》になっていた。

「失恋して一週間もたってないのに、すごく楽になった。萌枝のおかげだ。胸の痛いのがずいぶん遠くなったよ」

萌枝は大股でずんずんと歩きながらいう。

「隆介は女のなかで育ったじゃない。きっと女の人といっしょだと落ち着くんだよ。別にわたしじゃなくても、失恋話をきちんときいてくれる女だったら、誰でもよかったんだ」

なんだか広い背中が淋《さび》しそうだった。下北の暗い路地には人影もない。

「そんなことないよ。萌枝でなければ、こんなふうに自由に話せないし、延々とつきあってもくれなかったと思う」

「まあね、わたしには男もいないし、女友達とずっとつるんでるっていうタイプでもないし。落ちこんだ隆介につきあうにはちょうどいいのかもね」

マンションの明るいエントランスが、夜の灯台のように見えてきた。

「どうする、コーヒーでものんでく。わたしはなにもしないから、だいじょうぶだけど」

思わず笑ってしまった。きみは緊張しているみたいだった。なにもしないから、ホテルで休んでいこうという男たちのように。

「いいや、部屋のなかならもう見たし、明日も早いからやめとく」

つまらなそうにうなずいた。

「わかった。今回はジャージだから、脱がさなくてもよかったんだけどね」

どうでもいいけれどという横顔が気になって、ついいってしまう。

「それよりさ、来週末もどうせ予定はいってないんだろ。こっちもひまだから、今度はどこかおいしい店をぼくがおごるよ」

「それって、デートの誘いなの」

「くって、のむだけだけど、そういうのいちおうデートっていうんだよね」

きみは振りむくとすっぴん顔でにっとおおきく笑った。夜の隅《すみ》がすこしだけ明るくなるような笑顔だ。

「へへへ、わたしさ、男から来週の予定をいれられたの、三年ぶりだよ」

「三年間、なにもなかったのか」

ぼくが驚いていると、きみはさっさと自分のマンションに歩きだす。背中越しにいった。

「ほんとにヴァージンにもどってるかもしれないなあ。じゃあね、また来週」


それから休みがくるたびに、ぼくたちはデートをするようになった。

翌週に予約をいれたのは、汐留《しおどめ》の超高層ビルの四十数階にできたイタリアンだ。美しい夜景と手のこんだ前菜と覚悟の必要なワインリストを上品にだす店である。きみはジーンズとジャージできたので、結婚式の二次会のような格好をした女性たちを見て目を丸くしていた。ぼくが新橋《しんばし》といったので、焼き鳥屋だと思ったらしい。

スパニッシュ、フレンチ、カウンターの寿司《すし》と天麩羅《てんぷら》。ぼくたちのデートは、映画やショッピングよりも豪勢な食事が中心になった。一軒目のレストランはぼくのおごりで、二軒目ののみ屋はきみの番だ。ぼくは自分と友人たちが推薦する店をすべてだし切ったが、きみが連れていってくれるバーや居酒屋もなかなかのものだった。西麻布《にしあざぶ》のシャンパンバーの電話番号は、今もぼくの携帯に登録してある。

何度かデートをするうちに、きみの格好もジャージとジーンズから脱出して、会社用の黒や紺のパンツスーツに変化していった。大酒のみのくせにまだ二十代なかばで、体型は崩《くず》れていないから、背の高いきみには細身のスーツがよく似あうのだ。

そんなふうに一ヵ月と五回のデートがすぎたときのことだった。

ぼくたちはこのまま安全な距離を保つのか、それとも危険を覚悟で接近するのか、厳しい選択を迫られることになる。

旧山手《きゅうやまて》通りの暗い歩道をしばらく神泉《しんせん》の交差点めざし歩いていく。右手の木々のなかに、赤いネオンサインが見えてきた。コンクリート打ち放しの階段をおりていくと、地下のテラスが広々としていた。何組かカップルがお茶をのんでいる。

レストランの扉は厚いガラスで、奥には外国人のウエイターが立っていた。ぼくが近づいていくと、笑顔で扉を開けてくれる。

「こんばんは。予約をいれた高安《たかやす》です」

ひどく暗い店だった。時間が早いせいか、フロアに並ぶ丸テーブルはほとんど空席だ。外国人のウエイターは窓際の特等席にとおしてくれた。地下のテラスと中央に植えられたシンボルツリーのクスノキが見晴らせるテーブルだ。そのとき幅広《はばひろ》の階段を駆《か》けてくる女性の姿が目にはいった。長身でひざからしたの線がきれいだった。二枚重ねになったシフォンのスカートの裾《すそ》が煙《けむ》るように乱れて、ステップをリズムよく刻む。髪はセミロングだが、おおきなウエーブがかけてあった。テラスをずんずんと横切る大股の歩きかた。あれれ、おかしいな。そのサマードレスの女性は、きみにそっくりなのだ。

ぼくの迷いはきみがレストランの扉を抜けるとき、確信に変わった。きみはいつものパンツスーツでなく、なぜか女装してあらわれたのだ。ぼくは空きテーブルのあいだを抜けてくるきみを口を開けて見ていた。

すこし猫背になって、きみはぼくの正面に立った。ハイヒールの両足をしっかりと踏ん張っている。ちょっと怒った顔でいった。

「人の努力を笑うな。いい、このパーマとワンピースのことで冗談をいったら、すぐに帰るからね」

ウエイターはおもしろいドラマでも見ているように微笑《ほほえ》んで、じっと椅子《いす》の背をおさえていた。きみが席に着くと、そっと押してくれる。きみはメニューも見ずにいった。

「とりあえずシャンパン」

　その店でなにを話したのか、ぼくは忘れてしまった。ひどく疲れたのは覚えているのだけれど。きみが厳重に注意したように、ぼくは危険な質問はすべて避けてとおった。なぜ急に髪型を変える気になったのか、なぜそんなにロマンチックな縦ロールのパーマをかけたのか、なぜ透ける素材のサマードレスを着ているのか、どうしてストッキングは黒のフィッシュネットなのか。嵐の雲のように頭に湧きあがる疑問を無理やり抑えこむ。

　覚えている限り、ミスは一回だけだった。ぼくはつい口を滑《すべ》らせたのだ。

「萌枝、もしかして今夜は化粧してるんじゃないか」

　きみは何杯目かの高価なシャンパンをのみほして、じろりとぼくをにらんだ。

「してるよ、悪いか。人ががんばってメイクしてきたのに、なにか猥褻《わいせつ》なものみたいに見るのはやめろ」

　ぼくは目をそらして、きみのお代わりをハンサムなウエイターに注文した。

　二軒目は代官山《だいかんやま》と渋谷の中間にあるバーにいく予定だった。

歩いてもほんの十分ほどなのだけれど、旧山手通りは代官山を離れるとしだいに暗くなっていく。きみはなぜかぼくの一歩先を歩いていた。ぼくに顔を見られるのが嫌なようだった。そのあいだぼくが見ていたのは、きみのしなやかなふくらはぎと揺れながらひざのうしろを隠すスカートの裾だ。遠くにバーのネオンが見える。閉店したインテリアショップのショーウインドウのまえで、きみは急に立ちどまった。どこか覚悟を感じさせる広い背中だった。

「わたし、今夜はけっこう真剣だったんだ。それなのに、なんだかにやにやばかりして。隆介は失礼なやつだな。そんなにおかしいか」

きみは振りむくと、自分のサマードレスをじろじろと見おろした。

「そんなことないよ。よく似あってるし、萌枝はスタイルがいいよ。でも、急に女装してくるからびっくりした。なにがあったのかなって思って」

「いいんだよ。無理してほめなくても、どうせわたしは恋愛にはむいてないんだ」

そういうときみはビルのまえの白い大理石の階段に、足を開いて座りこんだ。ふとももものうえのほうまでのぞいていたが、きみは気にしなかった。ぼくも視線をはずしながら、きみのとなりに座った。

「わたし、大学の四年間、ずっとすごく年うえの人とつきあっていた」

萌枝の恋愛の話は初めてだった。下北沢で酔っ払った夜と同じ遠い目をして、きみは通りのむかいにあるマレーシア大使館を見ている。ぼくはただうなずいていた。

「その人は四十代で、結婚して十年たっていて、小学校にかよう子どもがふたりいた」

ぼくはまた口を滑らせた。

「不倫か」

「その言葉も二度とつかわないで。こっちは真剣だったんだ。自慢じゃないけど、相手の男もね」

あの夜間違われた名前を思いだした。

「それがシュージさんか」

「なんで知ってんの。その人だよ。むこうも奥さんに別れてくれっていって、大騒動になって、うちの実家にも奥さんがきたりして、もうズタズタになったんだ。隆介と違って、わたしは彼と別れてから半年は笑わなかったから」

ぼくにはなにもいうことがなかった。都心の空《す》いた通りを飛ばしていくタクシーの灯《あかり》を見ているだけだ。

「そうか」

「うん。三年まえに四十七歳だったから、今はもう五十になるんだなあ。どんなふうに変わったのかなって今でも思うときがある」

萌枝は二十五歳、男はちょうど倍の年齢ということになる。

「ダブルスコアとかいわないでよ」

ぼくはあわててうなずいた。きみはじっとぼくを見つめた。

「ねえ、幼稚園のときの遊び覚えてる。魔法のボタンっていうやつ」

もちろんぼくは覚えていた。始まったのは幼稚園だけれど、小学校のクラスでもずっと遊んでいたからだ。きみは長い手を伸ばして、ぼくの右肩にふれた。指一本の重ささえ感じさせないかすかなふれかただった。

「今から、隆介は透明人間ね。わたしは誰もいないと思って話すから、黙ってきいてね。今回、隆介が振られて、何度かデートらしきことをしたよね。わたし、同世代の人とつきあうの生まれて初めてだったんだ。だから、こう思った。これは神様がくれたチャンスだ。若い男とつきあうためのリハビリに、失恋男をつかわせてもらおう」

透明人間になったぼくは、しびれたようになにもいえずにいた。きみは通りのむかいの明るい夜空に目をあげる。その目はきれいに澄んで、誰かに恋することの切なさとあこがれを映しているようだった。

「それでね、実際に試してみたら、すごく楽しくてはまっちゃった。毎回、これは練習なんだ。隆介は元気になったら、わたしよりも、なんだっけ、小柄でコケティシュでかわいくて、ベッドでは攻撃的な女の子とまたつきあうようになるんだ。そういいきかせていた」

　へへへときみは得意の男の子のような笑い声を立てた。

「でも、ダメだったよ。隆介を男として見ないようにしようとしたのに、ぜんぜんダメだった。今回、勇気をだして女みたいな格好をしてきたのは、いつもジャージですっぴんの酒のみじゃなくて、わたしを女の子として見てほしかったからなんだ。メイク下手《へた》だし、ファッションなんてまるでわかんないんだけどさ。でも、女の子のわたしを見てほしかったんだよ」

　きみは急に立ちあがった。サマードレスの尻をはたいて夜空に背伸びする。

「でも、隆介を見ていてわかった。隆介はわたしのことを女として見ていないし、意識したこともない。もういいや。今夜で自由にしてあげる。元気になったみたいだし、わたしたちはこれで最後のデートにしよう。わたしがボタンを押したら、今の話は全部忘れて、男みたいな幼なじみにもどる。この話、二度と口にしたら許さないからね」

　きみは振りむいて、透明人間になったぼくの右肩にそっと指先をのせた。ぼくも立ちあがる。うつむいているきみの左肩に手をのせた。

「じゃあ、今度はぼくが魔法のボタンをつかう。今から、きみは石になるんだ。なにをされても動いたらいけない」

ぼくはきみの身体をうしろから両腕で抱いた。やわらかなウエストのまえで手を組む。きみは焦《あせ》って身動きをとろうとした。鋭《するど》くいう。

「石は動かない」

きみは一度びくりと震えてから、身体を硬《かた》くした。

「萌枝、ぼくもずっと同じことを考えていた。だけど、二十年以上も知りあいだったというのが、逆に壁になってしまった。今さらどうして、つきあってくれなんていえるのかな。きみは別れた歴代ガールフレンドをすべて知っているのに、それでもぼくにチャレンジしてくれるのかな。こっちも不安だったんだ」

てのひらのしたできみの腹が呼吸にあわせて、ゆるやかに動いていた。この石はあたたかで、息をしている。メイクの失敗で悩んだり、人を好きになったりする。ひどく気まぐれで魅力的な石なのだ。

ぼくは腕を解《ほど》き、きみの正面にまわった。パーマのかかった前髪をあげて、きみの額《ひたい》を夜にさらす。

「萌枝は、まだ石だからね」

ぼくはきみの額にそっと唇をつけた。きみは目を涙でいっぱいにして、身体を硬くしたままだ。ぼくはきみの左肩に頬《ほほ》を寄せた。耳元でささやく。

「魔法のボタンは解除した。動いてもいいよ」

きみは獲物に飛びつく雌《めす》ライオンのようにぼくを抱き締めた。耳元でちいさく叫んだ。

「そうかあ。だったら先にいってくれればいいのに。あれこれ心配して損したよ。ああ、うれしーな」

若いカップルが笑いながらぼくたちを見てとおりすぎていった。

「ちょっと、待ってくれよ」

きみからなんとか身体を引き離した。涙をさっさとひっこめると、きみはまた男の子のように笑った。

「別に減るもんでもないし、いいじゃない。それよりさ、このまま渋谷のラブホテルいって、Hしようよ。久しぶりだから、わたしヴァージンにもどってるかもしれない。キツキツかも。そういうの、隆介、好きじゃない?」

さっきのかわいい女の子はどこにいったんだろうか。きみの心模様の変化はいつだって予測不可能だ。

「冗談じゃない。告白してオーケーだったら、すぐにその場でHなんてわけにはいかないんだよ。男っていうのは繊細《せんさい》なんだ。今夜は予定のバーにいく。最初に萌枝とするなら、このつぎにちゃんとどっかに旅行にいくことにしよう」

きみは目をぎらつかせていった。

「いいじゃん。今夜もやって、旅行にもいけばいいんだ」

「やってとかいうな。そんなことといってると、魔法のボタンを押して、ひと晩じゅうこの通りに放っておくぞ」

バーのネオンサインにむけて歩きだす。きみはぼくの背中にいった。

「放置プレイかあ、悪くないかも。ねえ、怒ったの。さっきはあんな甘いことといってたくせに。ねえ、隆介」

ぼくは怒った振りをして早足ですすんだ。きみは走って追いつくと、ぼくに腕をからませる。ぼくたちはそのまま夏の夜の通りを歩き続けた。それからどこにいったのか、それはみんなの想像にまかせよう。

ヒントはひとつ。ぼくたちはまた朝までいっしょだった。またひどく酔っ払った。今度は確かにジーンズを脱がせる必要はなかった。まあ、萌枝とぼくの主張のどちらがとおったにしても、つぎの夜明け、ぼくたちが幸福だったのはまちがいない。

卒業写真

市川拓司

市川拓司（いちかわ・たくじ）
1962年東京都生まれ。獨協大学卒業。出版社に勤務し、バイクで日本1周の旅に出た後、97年からインターネット上で小説を発表し、2002年、『Separation』でデビュー。同作品はテレビドラマ化され、好評を博す。03年『いま、会いにゆきます』がロングセラーとなり、翌年には映画化され100万部を突破する。恋愛におけるせつなく心に迫る描写に定評があり、多くの読者を魅了している。著書に『恋愛寫眞』『そのときは彼によろしく』『弘海』『世界中が雨だったら』『ぼくの手はきみのために』がある。

木内《きうち》さん？　と声を掛けられ、顔を上げると、ぷっくらと肉付きのよい笑顔がそこにあった。

誰だろう？　柔和《にゅうわ》な善人顔の青年。わたしのことを知っているってことは、わたしもきっと彼のことを知っているはず。そんな感じで話し掛けてきてるし。でも、思い出せない。だいたいにおいて、スターバックスの淡《あわ》い照明の中では、わたしの目はあまり用を為《な》さない。テーブルの上に置いたテキストに目を通すことはできても、一メートル先に立つ人の顔は、ぼんやりとしか見えていない。度の合わない眼鏡《めがね》のせいだ。ほんとは、いま流行のフォックス型フレームの眼鏡が欲しいんだけど、なかなかきっかけが摑《つか》めなくて、いまだにオーバルタイプの野暮《やぼ》ったい眼鏡を使い続けている。コンタクトレンズにステップアップするという道もあるけど、あまり気が乗らない。このデリケートで過保護（ソフトカバー付）な部分に異物を入れるというのは、かなりの勇気がいることだし（当然、ピア

ス の穴も開けていない)、わたしは、眼鏡を外したほうが器量が落ちるという、けっこう珍《めずら》しいタイプでもあるので。

「はい」と、とりあえずわたしは返して、それから大急ぎで、頭の中のデータベースにアクセスした。目の前の笑顔と重なる記憶が、どこかにあるはず。

気まずい数秒間。お互い顔に笑みを浮かべたまま、その内側で高速演算を行っている。わたしは仕事関係、大学、高校、と次々と記憶のフォルダーを開けてゆき、その中に彼と合致する顔がないか検索していく。頭の中の小さなわたしが、指を舌で湿らせながら、資料をものすごい勢いで捲《めく》っていく感じ。

彼は彼で、力のない返事を返したわたしを見て、自分が何者なのか告《つ》げるべきかどうか迷っているみたい。期待感もあるだろう。自分が忘れられてしまうほど印象の薄い人間だとは思いたくないものだし、異性間ならば、それは魅力の問題にも係わってくる。

そんな彼の気持ちが分かるものだから、よけいわたしは焦《あせ》った。これは、わたしの記憶能力というより、なにか人道的な問題であるかのように感じてしまう。忘れてしまうというのは、わたしが彼を軽んじていたからだって、そう思われたらどうしよう。

彼が、「あ」って形に口を開いて、「あ」って言いそうになったから、わたしは手のひらを突き出して、それを押し止《とど》めた。もうちょっと待って。

わたしは、じっと彼の顔を見つめた。彼は少し照れ臭《くさ》そうな顔をして、わたしを見ている。かなり太り気味。身長は高い。百八十近い？　体重は――七十五から八十五のあいだ。体脂肪二十七パーセントといったところ。彼もわたしと同様、流行遅れの眼鏡を掛けている。限りなく真円に近いメタルフレーム。ちょっと見の印象は、ひと月ほど前から街で暮らし始めたくまのプーさんって感じ。肩から提《さ》げたキャンバス地のバッグの中には、蜂蜜《はちみつ》の壺が収まっていそう。ヘヴィーデューティーというよりは里山《さとやま》スタイル。でも、それがまた妙に似合っている。

どうにも思い出せなくて、わたしは何度か目を瞬《またた》かせたあと、問うような音を唇の隙《すき》間《ま》から漏《も》らした。すると、その瞬間を待っていたかのように、彼が口を開いた。

「渡辺《わたなべ》です」

「ああ」って、わたしは分かったような声を出したけど、その時点ではまだ分かってなかった。

「第五中の――」

そこで、彼女がファイルを高く掲《かか》げた。彼女っていうのは、わたしの頭の中の小さなリファレンス係ってことだけど。ファイルには、たしかに渡辺って名前と、プーさんによく似た顔写真があった。

「渡辺くん!」

「そうです。渡辺です」

わたしは、もう思い出していたんだけど先に名乗られちゃって残念、みたいな表情で、彼に手を差し伸べた。

「懐《なつ》かしい、お久《ひさ》しぶり」

彼がわたしの手を握った。かなり遠慮気味に。そうそう、昔から渡辺くんは、こんな感じだった。いつもどこか臆《おく》しているような表情と仕草《しぐさ》。

「九年ぶりかな」

「そうね、卒業以来だもん。あ、どうぞ座って」

彼はテーブルの向かいに腰を下ろした。手に持っていたコーヒーカップを置き、両手を擦《こす》り合わせる。

「しばらく前から見てたんだ」

「え、そうなの?」

「うん。店に入るぐらいのところから」

「やだ、全然気付かなかった」

「こっそり見てたから。人違いだったらやばいし」

うん、分かるわ、って笑みを返して、それから訊《き》いてみた。

「わたしって分かった？」

彼は穏《おだ》やかな笑みを浮かべてうなずいた。

「変わってないよね。十五の頃と同じ髪型、同じ眼鏡」

もしかしたら本人は褒《ほ》めたつもりなのかもしれないけれど、二十四歳の女性としては、あまり喜べない言葉だった。でも、嬉しそうな顔をしてみせる。

「渡辺くんも変わってないね。すぐ、分かったもん」

皮肉ではなく、本当にわたしもそう感じていた。渡辺くんとは三年のとき同じクラスだった。彼はその頃もやっぱり丸い顔に丸い眼鏡を掛けていた。

そうかな、と彼は言った。ちょっと意外だって顔。自分では、この九年間でしっかり大人の男に成長したつもりでいたのかもしれない。だとしたら、お互い様ね。わたしも、自分で思うほどは成長していないのだろうから。古い友人に会うっていうのは、昔の自分と向かい合うってことなのかも。

「いまは、何してるの？」と訊いてみる。平日の昼間にショッピングモールをうろついているってことは、ビジネスマンではないはず。アースカラーのワークシャツにコーデュロイパンツという服装を見てもそれは分かる。

彼は視線を落とし、手元の紙カップを見つめた。

まあ、と言って、わたしの手のあたりに視線を移す。

「フリーターってやつかな。大学出て一度は中堅どころのメーカーに就職したんだけどね。どうも営業職ってやつが肌《はだ》に合わなくて、半年前に辞《や》めちゃったんだ」

「おんなじ！」とわたしは、ちょっと嬉しくなって大きな声で言ってしまった。

「わたしも食品メーカーに就職したんだけど、一年もたなかったの。だからいまはフリーター」

それまで自分は、そこそこ要領のいい人間だと思っていた。でも、拝金思想がはびこる「成熟した大人」の組織の中では、わたしはまだまだ青臭い正義を振りかざす石頭なんだって思い知らされた。きっとみんなは現実を見ても、そこでぐっと踏み止《とど》まるものなんだろうけど、わたしにはそれができなかった。やっと入った会社だったのに。いまでは少し後悔もしている。なによりも収入が勤めていたときの半分になってしまったのは痛い。いまは、かなり本気で実家に戻ることを考えている。

「その、教科書みたいなのは英語の勉強？」と彼が訊いた。

これ？　と言って手元のテキストを持ち上げてみせる。そう、と彼がうなずいた。

「うん。ちょっとTOEIC受けてみようと思って。目標六百点」

「木内さん、大学は英語専攻？」

　ぜんぜん、と首を振る。

「わたしは経営情報学部。でも、これからはやっぱり語学力だと思って。かなり遠回りしちゃったけど、社会の現実ってもんが分かったから、ここで就職に向けて新規巻き直しをはかろうと思って」

　木内さんらしいね、と渡辺くんが言った。

「エネルギーに満ちているっていうか、いつも前向きだよね」

「そうかしら？」

「うん。三年のときもクラス委員やってたでしょ。木内さんの行動力は、あのときも際[illegible]ってたからね」

　そう、わたしはクラス委員だった。誤解を受けやすい人間なのか、わたしはつねに、クラスの中心に据《す》え置かれていた。どちらかというと教室の辺境にいるべき人間なのに、八方美人的な気の弱さと、例の青臭い正義感のおかげで、わたしはクラスメイトたちの代弁者に祭りあげられていた。

「行動力っていうより、責任感よ。まかせられた以上は、いい加減なことできないでしょ？」

「うん、そうなのかもしれないけど、普通の人間は、それすらできないから」

それもわたしを悩ます現実だ。自分の怠惰《たいだ》を誤魔化《ごまか》すために他人を攻撃し、責任を転嫁《てんか》する。ほんと、大人の社会って自己保身と欺瞞《ぎまん》ばっかり。いまでも、変革すべきはわたしの頭の中身じゃなくて、世の中のほうだって思いはある。でも、きっと容易《たやす》く変えられるのは、千二百グラムの卵豆腐《たまごどうふ》のほうなんだ。

「渡辺くんは？」と訊いてみる。

「なにか、目標とかあるの？」

彼は、ちょっと気まずそうな顔をして首を傾《かし》げた。

「もともとが甘い人間だからね。いまは、なんか逃げることばかり考えてる。こんな街じゃなく、ひとのいない森の中で暮らそうかとか、浜辺で流木拾って生活できないか、ンビみたか」

「疲れちゃったのね」

「まあ、あのノルマってやつは非人間的だからね。おれだけじゃ が弱く、その外いな目をしてた。日焼けサロンに通う、褐色《かっしょく》のゾンビ いない人間だっ つまり「弱さは悪」っ
もともと彼は、わたし以上にこの世界に適応
見と相まって、独善的な人間たちからは攻撃されたりもし

て論理の犠牲者。勉強はできていたから、それだけが彼の支えだったのかもしれない。わたしも彼も進学校を狙《ねら》っていたから、心の中では同志のように思っていた。実のところ、気の許せる相手だとわたしが感じている数少ない級友のひとりでもあった。まあ、一方的にそう感じているだけで、実際には、それを実践《じっせん》するような出来事はほとんどなかったのだけれど。

「いまは、この街に？」と彼が訊いた。

「そうよ。大学の三年から家を出て、この街で」

「おれは社会人になってからひとり暮らしを始めたんだ。ここから五分ぐらいのところだよ」

「じゃあ、近いわね。いままで会わなかったのが不思議なくらい」

これを機会に旧交を温め合うのもいいかもしれない。なにかとひとり暮らしは不安だし。とくにいまは情緒不安定になっている時期で、話し相手が欲しかったから。

「九年間、まったく会わなかったね」

「そうね、同窓会もなかったし」

「おそらく、みんな木内さんが幹事になってくれると思っていたんじゃないかな」

「かもしれないわね。それには責任も感じている。でも、そういうのって、ほんとはわたしの柄《がら》じゃないのよね」

「分かる気もする」

渡辺くんが言った。

おや？　と思い、彼の目を見る。意外なほど凜々《りり》しい眼差《まなざ》し。ずいぶん眉《まゆ》が太くなったみたい。彼もそれなりに成長したんだ。

「木内さんは誰とでも打ち解《と》けているように見えて、実は壁みたいなものは確かにあったよね。馴《な》れ合うよりは、孤立してるほうがマシみたいな」

「へえ、けっこうわたしのこと見ててくれたんだ」

渡辺くんが顔を赤くして目を逸《そ》らした。久々《ひさびさ》に、顔を赤くした男の子を見たような気がする。

「ああ、でも、わたし渡辺くんには気を許していたんだよ」

「うそ」

「ほんとほんと。だって、渡辺くん、いいひとじゃない。わたし、いいひとって好きだもん」

こういう科白《せりふ》を平気で言えるのも、相手が渡辺くんだからなのだろう。穏《おだ》やかな風の中に身を置くみたいな開放感。

「——おれは、てっきり嫌われてるんだと思ってた」

ないない、と手を振って否定する。

「ほら、林間学校で湖に行ったとき、帰りのバスで隣同士になったじゃない。あれ、すごく楽しかった。なに話したかは覚えてないけど、ふたりでげらげら笑い合ったよね」

その言葉に渡辺くんは考え込んでしまった。蜂蜜の置き場所を忘れてしまったプーさんみたい。

「思い出せないの？」

「ごめん。そんなことがあれば覚えているはずなんだけど」

「もう一昔前の話よ。忘れてたって仕方ないわ」

いや、でも、と言って、彼はまだ考えている。

「それってさ」と顔を上げて、彼が言った。

「もうひとりの渡辺の話なんじゃないの？」

少し不安そうな表情。

わたしは即座に首を横に振った。あれは確かに渡辺くんだった。もうひとりの渡辺くんとは、わたしはほとんど口をきいたことがない。だって——

「あっちの渡辺くん、いまどうしてるか知ってる？」

つい、小声になってしまった。ちょっと耳が熱い。

「知らないなあ。高校の時、一度だけ駅で会ったような気がするけど」

あ、そう、とそっけない返事をする。

「わたしはほら、高校は県境越えた私立だったから、どの同級生とも、ほとんど会わなかったのよね」

「そんなもんだよね」

ああ、でも久し振りに（もうひとりの）渡辺くんのことを思い出してしまった。最後に彼のことを考えたのは二ヶ月ぐらい前だっただろうか。ユーミンの「卒業写真」を聴《き》いたとき、ほとんど反射的に彼のことをわたしは思い出していた。人生がつらく思えるときって、つい昔のことを考えてしまうものだ。

そういえば、と彼が言って、ちょっと迷うような間を置いた。

「なに？」

「あっちの渡辺が、木内さんのこと好きだったたって噂《うわさ》聞いたことがある」

「うそ！」

彼はちょっと悲しそうな顔をした。何故《なぜ》だか分からないけど。もしかして、渡辺くんて、わたしに好意を抱いていたとか。いま、わたし嬉しそうな顔をしたから、それで彼ひがんじゃったのかも。

ああ、でも信じられない。（あの）渡辺くんが？　あの、目が合うだけでわたしの息を奪い取っていた渡辺くんが？

エキゾチックでミステリアスでシャープで、そして（おそらく）繊細《せんさい》な魂《たましい》の持ち主で、それゆえに（きっと）蒼《あお》い孤独をいつもうちに抱《かか》え込んでいた渡辺くん。わたしだけでなく、クラスの女子の二十五パーセントぐらいは、彼の目を見るだけで息を止めていたはず。

とくに背が高かったわけでもないし、運動ができたわけでもない。勉強もそこそこ。でも、彼は輝いていた。繊細な顎《あご》と首、いつも何かを憂《うれ》えているような悲しげな瞳。とってもクール。でも、そんな彼を見つめている女の子たちは、誰もが頭から湯気が出そうなほどホットになっていた。何人かの女子が告白したことは知っている。でも、みんな断られていたみたい。

わたしはよくある過剰反応ってやつ。気持ちを隠すのに熱心になりすぎて、逆にまるで彼を嫌っているみたいな態度ばかり取っていた。だいたいにおいて、彼の前ではろくに口もきけなくなるわけだから、そっけないのは演技でもなんでもない。女の子同士の会話でも、「彼って、なんかナルシストっぽくてわたしは苦手」みたいな発言を繰《く》り返していたし。そのときは必ず、背中に隠した右手の指をしっかりとクロスさせていたんだけど。

「なんか――これも噂だけど、木内さんも渡辺のこと、気に入っているんだっておれは聞いてたよ。それを知って、あいつも一度は告白しようと思ったんだけど、結局勇気がなくて、そのままフェイドアウトしちゃったとかなんとか」

うそ！　って声すら出なかった。あれだけ隠していたのに、わたしの気持ち垂れ流し状態だったの？　恥《は》ずかしさのあまり、叫び出したくなる。それをぐっとこらえて、とりあえず喉を鳴らすだけに止《とど》める。

どうしよう、と今さらながらおろおろする。だって、これは決して漏洩《ろうえい》してはならない最高機密だったのに。ああ、きっと渡辺くんがわたしのことを好きだったって噂は、先にまずこの噂があって、そこから派生した変奏曲なんだ。彼がわたしのことを好きだなんてあり得ないことだもん。実のところ、嫌われているのかもしれないと思ってさえいた。ほかの女子に接するときと比べて、わたしに対しては、とくに素《そ》っ気《け》ない感じだったから。わたしがこういう態度だから、きっと彼に嫌われてしまったんだって、そう思ってた。

「誰がそんなこと言ってた？」

知ってどうなるものでもないけど、とりあえず訊いてみた。

「誰って――」

「うん、そうなのかもしれないけど、普通の人間は、それすらできないから」

それもわたしを悩ます現実だ。自分の怠惰《たいだ》を誤魔化《ごまか》すために他人を攻撃し、責任を転嫁《てんか》する。ほんと、大人の社会って自己保身と欺瞞《ぎまん》ばっかり。いまでも、変革すべきはわたしの頭の中身じゃなくて、世の中のほうだって思いはある。でも、きっと容易《たやす》く変えられるのは、千二百グラムの卵豆腐《たまごどうふ》のほうなんだ。

「渡辺くんは？」と訊いてみる。

「なにか、目標とかあるの？」

彼は、ちょっと気まずそうな顔をして首を傾《かし》げた。

「もともとが甘い人間だからね。いまは、なんか逃げることばかり考えてる。こんな街じゃなく、ひとのいない森の中で暮らそうかとか、浜辺で流木拾って生活できないかなとか」

「疲れちゃったのね」

「まあ、あのノルマってやつは非人間的だからね。おれだけじゃなく、みんなゾンビみたいな目をしてた。日焼けサロンに通う、褐色《かっしょく》のゾンビだよ」

もともと彼は、わたし以上にこの世界に適応していない人間だった。気が弱く、その外見と相まって、独善的な人間たちからは攻撃されたりもしていた。つまり「弱さは悪」っ

「木内さん、大学は英語専攻？」

ぜんぜん、と首を振る。

「わたしは経営情報学部。でも、これからはやっぱり語学力だと思って。かなり遠回りしちゃったけど、社会の現実ってもんが分かったから、ここで次の目標に向けて新規巻き直しをはかろうと思って」

木内さんらしいね、と渡辺くんが言った。

「エネルギーに満ちているっていうか、いつも前向きだよね」

「そうかしら？」

「うん。三年のときもクラス委員やってたでしょ。木内さんの行動力は、あのときも際立《きわだ》ってたからね」

そう、わたしはクラス委員だった。誤解を受けやすい人間なのか、わたしはつねに、クラスの中心に据《す》え置かれていた。どちらかというと教室の辺境にいるべき人間なのに、八方美人的な気の弱さと、例の青臭い正義感のおかげで、わたしはクラスメイトたちの代弁者に祭りあげられていた。

「行動力っていうより、責任感よ。まかせられた以上は、いい加減なことできないでしょ？」

（こっちの）渡辺くんが、わたしの肩越しに視線を泳がせながら、記憶を手繰《たぐ》り寄せようとしている。目を細め、唇を微《かす》かに開き、なにやらぶつぶつと言っている。その表情を見て少し胸を熱くする。なんだろう？　悪くない。彼って、わたしの記憶以上に魅力的な少年だったのかも。

「具体的には」と彼が口を開いた。

「誰って思い出せないけど、とにかく、そんな話だった。木内さんが渡辺のこと、一緒にいると楽しいひと、って言ってたって――」

それって――

わたしは、手のひらを突き出して彼の言葉を押し止めた。ちょっと、考えさせて。

確かに、その言葉憶《おぼ》えている。でも、それって、いまここにいる渡辺くんに関する話だったはず。ねえ、ミンクのことどう思う？　って訊かれて、確かわたしはそう答えたんだ。

渡辺くんは充《みつる》って名前で、小学校の頃は「みっくん」って呼ばれていた。それがいつしか語尾の順序が入れ替わって「ミンク」に。男同士ではそう呼び合っても、女子は面と向かっては、あだ名では呼べない。あくまでも女同士の会話の中だけで、そう呼んでいただけだ。まあ、それはそれとして――

ええと、どういうことだろう？　あのときのわたしが勘違いしていたの？　ミンクのことだと思って、「一緒にいると楽しい」って言ったのに、彼女たちが訊いていたのは、もうひとりの渡辺くんのことだった？　いや、でも違う。だって、あのころもうひとりの渡辺くんは、「かわちゃん」って呼ばれていたんだから。いまは亡き、リバー・フェニックスにどこか似ていたから、「かわちゃん」。中学生の発想なんて、ほんと単純だ。確か本当の名前は、賢治《けんじ》だったはず。

かわちゃんとミンクでは、だいたいにおいて、その名前を口にするときの女子の態度からして違う。だから、間違えるはずはない。

その瞬間、わたしはあまりに恐ろしいことに気付いて、喉が鳴るほどの勢いで息を吸い込んでしまった。

「どうしたの？　大丈夫？」と訊かれ、わたしは俯《うつむ》いたまま目だけを彼に向けた。顔の細部を走査して、データを大急ぎで解析する。彼は誰？　九年も過ぎてしまうと、あの頃の記憶はものすごくいい加減なものになっている。酔っぱらいがコースターの裏に描いた似顔絵みたいなもの。思い込みによる歪形《わいけい》、細部の省略、そして不確かな描線《びょうせん》。

ああ、思い出せない。何か目印になるホクロとか傷とかなかったかしら？　彼は、あまりにもミンク的外見をまとっている。でも、かわちゃんだってことになれば、話はすべてつじつまが合う。わたしは、ぞっとして、思わず身震いした。彼がますます心配そうな顔をする。大丈夫、というしるしに右手を広げてみせる。でも、ほんとはぜんぜん大丈夫じゃない。彼がかわちゃんだったら、わたしはもう二度と立ち直れないかもしれない。さっきわたしは、彼に面と向かって「好きだ」って言ってしまったような気がする。記憶違いならいいんだけど、さすがに三分前のことだから、それはあり得ない。

彼が言っていた「あっちの渡辺」がミンクのことなら、噂もありそうなことのように思う。だって、わたしとミンクは（そこそこ）仲が良かったし、彼がわたしに好意を抱《いだ》いていたことには、なんとなく気付いていたから。林間のバスで笑い合ったのも、目の前にいる渡辺くんではなく、もうひとりの渡辺くんだってことなら、彼が憶えていないのも当然だ。彼だって、そう言っていたし。

んっ、と喉を鳴らし、わたしは背筋を伸ばした。

「たしかに」と言って、居住まいを正す。

「わたし言ったかもしれないわ。実際、彼と話していると楽しかったし」

つい、ちょっと前までは、それは目の前にいる渡辺くんに関する話だった。このひとこそがミンクだと思っていたから。でも、いまでは七十五パーセントぐらい、別の人間になりかけている（わたしの主観の中での話だけど）。

「ミ——彼も、きっと同じだったのね。気軽に話せる異性ってことで」

渡辺くんがうなずいた。あんまり嬉しそうじゃない。というか、ちょっと不機嫌。

「おれとは、けっこう堅苦《かたくる》しい感じだったよね。やっぱり、相性ってあるのかな」

わたしはやっとの思いで首を縦に振った。もう、顔が真っ赤になっているはず。照明が淡い色でよかった。耳のあたりがとても熱くて、わたしは手のひらを扇《おう》代《ぎ》わりにして、何度もあおいだ。

「ちょっと、確認だけど——」

喉がひきつれて嗄《しわが》れ声になってしまった。また、んっ、て咳《せき》して、通りをよくする。

「渡辺くんて、高校は確か——」

「東《ひがし》高だよ。おれと、あと石川《いしかわ》と佐久間《さくま》も一緒だった」

「そ——そう、そうよね。そうだった。ああ、そうか、石川くんも東高かぁ」

なんてことだ！　やっぱりわたし、かわちゃんに面と向かって「好き」と言っていたんだ。胸が苦しい。過換気起こしそう。やだもう、消えてしまいたい。これならまだ、下着姿で駅前通りを歩くほうがまし（いや、それも充分悪夢的状況ではあるけど）。

わたしは視線を自分の手元に落とし、とりあえず体勢の立て直しに掛かった。キャラメルマキアートを啜《すす》って舌を湿らせる。

とにかく、起きてしまったことは、もうどうしようもない。これから、きっとこのときのことを思い出すたびに、叫びながら頭を掻《か》きむしりたくなるんだろうけど、それはまだ先のことだ。いまはいま。わたしが気を配るべきは、かわちゃんをミンクだと思い込んでいた事実を彼に知られないようにすること。だって、このことのほうが、いまとなっては、もっと恥《は》ずかしいように思うから。思い出せないのは、まだ許される。でも、すっかり人違いをして、そのまま会話を続けていたなんて、これはもう重罪でしょ？　しかも、あのアドニスかナルキッソスかっていう若き美神だった彼を、ムーミン谷の住人みたいなミンクと間違えていたんだから。彼はひどく傷つくだろうし、わたしはますます嫌われてしまう。そんなの堪《た》えられない。

わたしは俯いたまま、こっそり上目遣《うわめづか》いで渡辺くんを見た。彼は壁のメニューを眺《なが》めている。

でも、ずいぶん変わったなあ。こんな大柄な（縦も横も）男性になるなんて、想像もできなかった。「ベニスに死す」のタジオ役だってできそうなくらい繊細な少年だったのに。うっすら無精髭《ぶしょうひげ》生《は》えてるし、髪もぼさぼさ。眼鏡も似合ってない。その奥の目は――目だけは、変わっていないかもしれない。綺麗にカールした睫毛《まつげ》。ちょっとはれぼったい瞼《まぶた》と、そこに深く刻まれた二重の襞《ひだ》。ああ、よく見てみれば、やっぱり彼はかわちゃんなんだ。

いまさらながらに、盛り上がってくる恋心。初恋ってノスタルジーなんだ。すごく懐かしい感じ。でも、これってどういうことなんだろう。彼は彼でしかないのに、かわちゃんだって認識できなかったわたしは、少しも胸を騒がせることがなかった。それって、問題なんじゃないだろうか？　実は、三百六十度の転換によって、ほんとのほんとは彼がミンクだったってことになったら、この気持ちはどこへ行けばいいの？　こういうのって、あのカントが言ったコペルニクス的転回と、どこかで繋《つな》がっているんだろうか。

「なに？」と彼が訊《たず》ねた。低い声。かつての渡辺くんは、まだ変声期の終わりにあって、女の子のような声をしていた。

「いえ――」

彼が、「あの彼」だったって気付いたら、急にうまくしゃべれなくなってしまった。わたしのタジオ、ナルキッソス。

「ずいぶん、大きくなったよね」

それだけを、やっとの思いで口にする。

彼はうなずき、自分の顎をさすった。

「思いっきり奥手だったんだ。高校二年の頃にぐっと大きくなって、それからは横も広がって」

　こんな感じ、と彼は両手を広げた。

　わたしは彼に幻滅したか？　それはかなり微妙なところ。確かに、彼がいまだにタジオ的青年だったら、わたしの胸はジャンピングビーンズみたいに、もっともっと跳《は》ね回っていただろう。でも、このミンク的外見も嫌いじゃない。親しみやすくて、少なくとも、会話が可能なくらい自分をコントロールできるから。タジオとムーミンのハイブリッド。魅力と親しみやすさの化合物。

「眼鏡──」

　それだけ口にして、わたしは自分のこめかみに人差し指を向けた。そして訊ねるように、手をひらひらさせる。

「ああ、そう。これも、高校二年から。背が急激に伸びたとき、視力も一気に悪くなって。受験勉強も始めていたからね。いまじゃ、これなしじゃ自分の爪先《つまさき》も見えやしない」

　わたしは、こういうのって不便だよね、って感じに鼻に皺《しわ》を寄せながらうなずいて見せた。

「それでもまだ木内さんは眼鏡が似合ってるから羨《うらや》ましいよ。中学のときもクラスの女子でひとりだけ眼鏡だったよね。あれは、格好《かっこう》よかった」

ほんと？　と身を乗り出して訊ねたい気持ちを、ぐっとこらえた。ありがとう、とだけそっと口にする。でも、頭の中ではジェーンだのフランシスだの、そんな名前でも付いていそうな大嵐が吹き荒れていた。なんか、わたしが思っていたほど嫌われていなかったのかもしれない。すっごく嬉しい。あのかわちゃんが、わたしのこと「格好いい」って思っていたなんて。

「あの頃も、こんなふうに気楽にしゃべれたら、よかったのになぁ」

なんて嬉しい言葉。本当にそう思っていたのかしら？

「でもほら、渡辺くん、なんか近付きがたいオーラが出てたから……」

彼はシニカルな笑みを浮かべると、鼻を鳴らした。

「あれこそが悲劇だよね。なんでおれみたいな人間に、あんな外見が備《そな》わっていたのか」

ええっ、そうなの？　あの繊細な器の中には、繊細な魂が収まっていたんじゃないの？

蒼い孤独、すべてを拒絶する気高《けだか》き自尊心――

「いまのこの外見こそが、自分に相応《ふさわ》しいんだって感じてる。おれは、もともと協調的で、妥協的で、しかもいつだって誰かを愛したいと願ってたんだから」

「ぜんぜん」とわたしは呟《つぶや》いた。ぜんぜん、そんなふうに見えなかった。

「おれも子供だったからさ」と彼は言った。

「なんか外見に自分を合わせちゃったんだよね。姿に心を添わすって感じ。ああ、これも格好付けた言葉だな。まだ、当時の癖《くせ》が抜けてないんだ」

渡辺くんはそう言って恥ずかしそうに笑った。

でも、とわたしは言った。

「分かるような気もする」

だって、と言って、わたしは彼の目を見た。ああ、やっぱり魅力的な瞳だ。吸い込まれそうになるって、こういう気持ちを言うんだろうか？

「あんな——その、整った顔をしていたら、つい演じたくなっちゃうよね。映画の主人公みたいにさ、ヒロイックな役柄を」

これは、わたしとしては、かなりぎりぎりの科白だった。でも「整った顔」って言い回しは客観的で理性的で、わたしの感情はその陰に隠れているからまだ安全だ。

「まさしくそうなんだ」

彼が言った。

「おれは演じていたような気がする。ちょっと孤独で、どことなく冷笑的な少年。頭の中にあったのは、エドワード・ファーロングだったんだけど」

おお、かなり近い線を行っている。かわちゃんじゃなく、エドってあだ名でもよかったかもしれない。

「女の子にも素っ気なくて」

わたしが言うと、彼は目を閉じ、額を右手の人差し指で掻いた。

「まあ——そうかもしれないね」

顔を上げ、わたしを見る。

「別に、好きでもない女子から好かれても嬉しくないし」

ぼっと、顔から炎が上がったような気がした。なぜだろう？　すごく熱い。

「あ、じゃ——じゃあ、好きな人いたんだ」

なんて会話しているんだろう？　逃げ出したいのに、なぜかどんどん核心に向かっていく。おそらく表面的な感情と潜在意識とが、激しくせめぎ合っているのだろう。アクセルとブレーキを同時に踏んでるって感じ。

彼は、まあそりゃ、って言って自分の頰《ほほ》をさすった。

「見かけはああでも、内側じゃ鼻息荒くしたガキが、ほっぺたを真っ赤に染めてまわりの女の子たちを見回していたんだからね」

「ああ、そうなんだ」

彼がその「まわりの女の子たち」の中の誰を見初《みそ》めたのか訊いてみたいけど、そんなこと恥ずかしくて口にできない。

と、思ったら、なんだか彼がまだその先を続けたそうにしている。この話題は継続中なんだって顔で、わたしの次の言葉を待ってる。

しかたなく「だれ？」と呟くように言ってみる。

彼がどことなく嬉しそうな顔をして、身を乗り出した。

「なに？　聞こえなかった」

「誰だったの？」

ああ、と言って彼は身体を戻した。椅子の背もたれに上体を預ける。

「それは言えない。恋の秘密に時効はないんだ」

「そうよね。うん、わたしもそう思う」

ひどくうろたえてしまった。馬鹿みたい。なんだか、彼にいいようにあしらわれてる感じ。彼はもうエドワードじゃなく、プーさんなんだから。でも、この感じ、なんだかあの頃を思い出す。彼って本質的には変わっていないような気がする。

「とくに」と彼が言って眼鏡の奥の目を細めた。

「その子から、おれは嫌われていたようだからね。みすみすこっちの弱みを教えるわけにはいかない」

いま、大きなプロミネンスがわたしの頭の天辺《てっぺん》から噴き上がって、綺麗な弧《こ》を描いて右半球に吸い込まれていった。もちろん想像上のってことだけど。とにかく、そんな感じ。

でも、まさかよね。

「もっとも」と彼が続けた。

「木内さんが、黙っててくれれば、秘密は守られるわけだけど」

ああ——やっぱり……

なにをわたし期待したんだろう。わたしが一瞬でも舞い上がったこと、彼気付いていないよね。もし気付かれてたら、今度こそ立ち直れなくなる。十年分の恥ずかしさを十分で体験してるような気分。

「木内さんは?」と彼が訊いた。

「あの頃、誰が好きだったの?」

そう訊ねられただけで、また顔が赤くなった。あなたよ、なんて言っている自分を想像して、なんか変な汗まで出てくる。これって、屋上から地面を見ているときの気持ちに少し似ている。飛び降りちゃおうかなんて、ちょっと考えてしまったときの。

わたしは、大急ぎで首を振る。

「わたしも同じ」

「同じ」

「恋の秘密に時効なし」

ああ、と言って彼が笑った。

「じゃあ、いまは？」と笑顔を浮かべたままさらに訊いてくる。

「恋人はいるの？　あるいは好きな人は？」

きっと、いまこの瞬間一番好きなひとは、「恋人はいるの？」ってわたしに訊いてくるこの男性なのだろう。九年ぶりの再会で、わたしは彼が初恋の人だって気付けなかった。彼はずいぶん様変わりしちゃったし、いまは未来も見えていないフリーターだ。

でも好きだ。フリーズドライにされていた恋心が、瞬間に解凍された感じ。この胸の高鳴りは恋に違いない。

「いないわ」とわたしは言った。少し声が震えていた。

「なんか自分のことで手一杯で、そんな気分にずっとなれずにいたの」

彼はうなずいた。大きく。ちょっと必要以上に大きく。それから自分のコーヒーを啜り、少し落ち着かない素振りを見せた。指でテーブルを叩きながら、さっきも見ていたメニューにまた視線を送る。「戦争と平和」じゃないんだから、そうそう読むところもないだろうに。

それから彼が唐突に身を乗り出してわたしに言った。

「きみさ」

きみさ、だって。思わず身構えてしまう。ずっと「木内さん」って呼んでいたのに。

「間違えただろ?」

その瞬間、わたしは凍り付いた。息が止まり、瞬きもできなかった。

「おれをミンクと勘違いしたよね。それで、ずっとミンクのつもりで話してたよね」

いまなら百メートルを九秒台で走れそうな気がした。彼から遠離《とおざか》るためなら、わたしは光にだってなる。

「そんな――」

ことないよ、の後ろ半分が口から外に出て行かなかった。

「高校の名前訊いて確認したよね。あそこで、おれがミンクじゃないって確信を得たんだ」

わたしは笑っていた。唇が震えていたけど、顔はなぜか笑っていた。

「ええ?」って泣きそうな声で言う。

「なんのこと? だって、渡辺くんは渡辺くんじゃない。間違えるはずないよ」

いやいや、と彼は自信たっぷりにかぶりを振った。

「木内さんは間違えていた。おれのことをミンクだと思い込んで話をしていた」

ごめんなさい！　って声がして驚いたら、それはわたしの声だった。木人が屈服する前に、上位だか深層だかの別人格が白旗を揚げてしまったらしい。

「いや、べつにかまわないんだ」って彼が言った。

でも目が――目がすごく真剣。ちょっと恐いくらい。口ではああ言っても、絶対わたしを許してくれるはずないんだ。

それより訊きたいんだけど、って渡辺くんが言った。

「きみが中学のとき気を許していた――好きとも言ったよね、あの渡辺はおれじゃなく、ミンクのことだったんだろ？」

うんうん、ってうなずく。泣きたい。尋問室で刑事さんから問いつめられているような気分になる。

「林間学校のバスで笑い合ったのもミンクだよね？」

もう、ひたすらうなずきっぱなし。涙は我慢してるんだけど、鼻水がこぼれてきた。

そのあと、って彼が続けた。いよいよ、わたしは罪を告白させられるんだ。でも、罪ってなんの罪だっけ？

「きみは、おれが『あっちの渡辺が、木内さんのこと好きだったって噂聞いたことがある』って言ったとき、『うそ!』って言いながら嬉しそうな顔したよね」

うんうん、ってうなずいてから、なにか恐ろしい展開に引き込まれたことに気付く。彼の声はますます熱を帯びてくる。

「おれはミンクのことを言っていたんだけど、きみはふたりを勘違いしていたわけだから、よくよく考えてみれば――」

ぎゃーって言って、彼の言葉を遮《さえぎ》りたかった。両耳塞《ふさ》いで、わぉわぉわぉって、聞かないふり。でも、わたしは分別のある大人だから、ただ黙って聞いているしかない。なんだか急にトイレに行きたくなってきた。

「つまり、きみは――」

わたしは、彼が言葉を口にする前に何度もうなずいて見せた。そう、そうです。あなたの気付いたとおりです。

急に彼が黙り込んだ。そっと顔を見ると、なんだか複雑な顔をしている。五種類ぐらいの感情が混ぜ合わさってできたような表情。

「木内さんは」って彼が言った。ほとんど囁《ささや》くような声。

「おれのこと、嫌っていたんじゃないの?」

すごく切なそうな顔をするから、彼を抱きしめたくなった。わたしは大きくかぶりを振って、彼の勘違いをただしてあげた。

「嫌いなわけない」

「え?」

「す――」

「す?」

そこで口ごもっていると、渡辺くんが、ひゅーって大きな音を口から出して、ぶるぶると頭を振った。

「オーケー」と彼が言った。何がオーケーなの?

彼は人差し指を立て、なにかを言い掛け、そのままで固まった。

ずいぶん、経ってからそっと訊いてみる。

「なに?　どうしたの?」

彼はうなずき、立てた人差し指で唇をさすった。

「木内さんが口が堅いことを信じて」と彼は言った。

「さっきの質問に答えよう」

「それって、時効のない恋の秘密?」

そう、と彼がうなずいた。

今度こそ心臓がジャンピングビーンズみたいに跳ね回っている。一瞬、地震が起きたのかと思ったけど、揺れているのはわたしのほうだった。

「中学のとき」と彼が言った。

「うん」

「好きな女の子がいた。でも、おれは彼女と言葉を交《か》わすことすらろくにできなかった」

ほら、と言って彼は両手でなにかを抱えるような仕草《しぐさ》をした。

「おれは自分を演じることに必死だったし、彼女はおれのことを嫌っているように見えたからね。とにかく、素っ気ないんだ。あれは、切なかった」

「そんな……」

「まあ、とにかく、恋を打ち明ける勇気もないまま卒業の日が来て、おれは彼女と離ればなれになった」

わたしはうなずきながら鼻を啜った。すごく大きな音がして、彼が一瞬驚いたような顔をした。わたしは両手で鼻を隠して、「続けて」と言った。

「それから――まあ、かなり長い時が流れた。それなりにおれは成長して（ここで、自分の言葉にちょっと受けたように、彼が笑った）、恋もいくつかした。でも、ときおり思い
「おれの弱み」

出すんだ。あの子はどうしてるんだろう？　って。卒業アルバムを引っ張り出して眺めるときもある。おれが好きなのは集合写真じゃなく、遠足で弁当を食べてるときの写真なんだ。その子は、すました顔でカメラを見つめているんだけど、ここに――」

彼は自分の頬を指さした。

「おにぎりのご飯粒をくっつけてる。それが、すごく魅力的なんだよね。ダイヤのピアスなんかよりも、ずっとずっと彼女を可愛らしく見せる」

わたしは、顔を赤くして俯いた。

「その彼女と――九年ぶりに再会した。すぐに気付いたよ。見間違えようがない。でもおれはしばらく躊躇《ちゅうちょ》してた――」

「嫌われていると思ってたから？」

「ああ、そうだよ。でも、ここで勇気を出さなきゃ一生後悔する」

だから、と彼は言って、拳で自分の胸を叩いた。

「勇気を出して声を掛けた」

「うん」

「でも、ちょっとショックだった。その子は、おれのことを別のやつと勘違いしていたんだから」

恨《うら》めしそうな目でわたしを見る。わたしがうろたえていると、大きく笑って、手を振った。

「その子のせいじゃないさ。おれが変わりすぎただけだよ」

彼は大きく息を吐くと、勢いよく背もたれに寄り掛かった。

「秘密だよ」と彼は言った。

「その子には言わないでいて欲しい。弱味を見せたくないから」

「わかった。秘密にしておく。それに――」

わたしは顔を上げ、彼の目を見た。

「渡辺くん、その子の名前を言ってないし。だから、教えようがないわ」

彼は「それはよかった」と言って、わたしにナプキンを差し出した。

「鼻の下が光ってる」

うわ、最低！　こんな最高の場面で、どうしてわたしってこうもしまらないんだろう。

急いでナプキンを受け取り、鼻の下に当てる。

「また会える？」

渡辺くんが訊いた。

わたしはナプキンを当てたままうなずいた。

「おれ、いまナーセリーでアルバイトしてるんだ」

「ナーセリー?」

「園芸植物の生産をしている会社だよ。そこで、花の苗《なえ》を育ててる」

「うわぁ、すてきな仕事じゃない」

「草木を相手に暮らすのは、おれの性《しょう》に合ってるような気がしてさ。いつか森の中に、小さな植物園をつくれたらなって、そんなこと思ってるんだ」

「ああ、それで森……」

「今度、デートしよう」

「うん」

「植物園に行こうよ。弁当つくってさ。木内さんがおにぎり頬張るところ見てみたいよ」

わたしはまた顔を赤くして俯いた。

かわちゃん――わたしの初恋のひと。

卒業写真の面影《おもかげ》はもうあまり残っていないけど、でも、なんだかあの頃よりも、もっと好きになりそう。

いま、そんな予感がしてる。

# 百瀬《ももせ》、こっちを向いて

中田永一

中田永一（なかた・えいいち）
高校卒業後から雑誌ライターとして活躍。2002年から編集者の薦めで小説を書き始める。03年、某雑誌にSF短編小説を別名義で掲載してデビューを飾る。その後、半年に一本の割合で短編・中編小説を発表。本作は初の恋愛小説となる。現在はライター活動をしながら、アニメ作品の脚本や映画脚本のリライト作業などを行なっている。共著に『LOVE or LIKE』（祥伝社刊）がある。

1

大学卒業を間近《まぢか》に控《ひか》えて、少しの間、故郷へ戻ることにした。新幹線を降りて博多《はかた》駅のホームに立つと刺すような冷気に身が震《ふる》えた。実家へ戻る前に西鉄久留米《にしてつくるめ》駅で友人と会うことになっていた。待ち合わせの時刻まで三時間あったので天神《てんじん》の町をぶらついていると神林《かんばやし》先輩に会った。

「噂《うわさ》に聞いたよ。今年こそ卒業できるんだって？」

彼女のお腹《なか》は膨《ふく》らんでいた。大勢の人が白い息を吐《は》きながら行き交《か》っている中で、僕達は立ち止まり再会を喜び合った。

＊＊＊

高校に入学して間もない、八年前の五月末のことだった。

「あの人だよ。みんなが噂をしてた三年生」

　昼休みに売店で総菜《そうざい》パンを購入した後、教室へ戻ろうとしていると友人の田辺《たなべ》が言った。彼の視線を追った先に女子生徒の一群が歩いていた。中でも背の高い女子生徒が際《きわ》だっていた。

「綺麗《きれい》な人だね」

　田辺が素直《すなお》な感想を口にした。

　神林徹子《てつこ》。教室にいた男子たちがいつも彼女のことを噂していた。一年のクラスにまで噂になってしまう女子生徒とはどのような外見なのだろうかと気になっていたが、実際に見て納得《なっとく》した。髪の毛は腰まであり、窓のそばを通ると光が表面を伝って輝いた。

「教室に戻ろう。僕達には縁のない人種だ」

　僕は田辺を肘《ひじ》でつついた。高校で一番の美人と、僕や田辺のような一般的な人間との間には何の接点もあるはずがなかった。

　教室へ戻り総菜パンを食べ終えると、田辺は文庫本を取り出して読書を始めた。僕は居眠りを開始しようと机に伏せた。男子たちが丸めたプリントをボールがわりにして野球をしていた。彼らの声を聞きながら目を閉じていると、頭に何かのぶつかる感触がした。丸めたプリントが床に転がっていた。

「そこで昼寝してんなよ。邪魔だろ」

男子の一人が紙ボールを拾いながら僕に言った。当時、僕と田辺は教室において障害物に等しかった。クラスの中心は活発な生徒に占《し》められており、僕や田辺のように薄暗い電球のような覇気《はき》のない人間は邪魔にならない場所でひっそりと過ごさなければならなかった。学力も運動能力も平均以下で、社交能力が五歳児以下、髪の毛もぼさぼさで服装もださださの僕達がクラスの底辺でないわけがなかった。

＊＊＊

「先輩が子供を産むなんて信じられないな」

喫茶店に入り僕と神林先輩はコートを脱《ぬ》いだ。窓からは年末セールの垂れ幕をした天神のデパートが見えていた。

「そう？　どうして？」

彼女は珈琲《コーヒー》を注文した。

「だれだってそう思いますよ」

神林先輩にはつきあっている人がいる。その情報が流れたとき、あの高校にいた何人の男子生徒がため息をもらしたことだろう。

＊＊＊

「つきあってる奴がいるんだってさ。噂だけどよ」

　授業の合間の休憩時間に田辺と話をしていると、教室の中心地域から男子生徒の声が聞こえてきた。どうやらまた神林先輩のことを話しているらしかった。嘘、マジかよ、と別のだれかが言った。僕と田辺は目を合わせて聞き耳をたてた。

「つきあってる奴って、だれ」

「ええと……」

　男子生徒は友人たちに囲まれて少しの間、考える。やがて彼は、思い出したように口を開いた。

「あ、そうそう。宮崎《みやざき》っていう三年の先輩だ。ほら、バスケット部の人、有名だろ」

＊＊＊

運ばれてきた珈琲に神林先輩が口を付けた。

「いつごろ産まれるんですか？」

膨らんだ彼女のお腹を見て僕は聞いた。

「四月。ちょうど桜の時期。嬉《うれ》しい、桜って好きだし」

神林先輩はお腹に手を置いた。

「桜の花言葉は、高尚《こうしょう》、純潔、心の美。その他、多数」

「先輩、あの日もそういうこと言ってましたよね。花言葉。ほら、四人で遊んだとき」

あの日のことを思い出して懐《なつ》かしくなる。神林先輩はあの日、宮崎先輩と一緒にバスを降りて帰っていった。彼女は宮崎先輩とつきあっていたのだ。宮崎瞬《しゅん》。神林先輩が彼とつきあっていると初めて知ったとき、僕は驚いて、その直後に納得した。宮崎瞬か。なるほど。

＊＊＊

「ノボル、久しぶり」

下校途中、電車を降りて駅の改札を出ようとしたら声をかけられた。顔を上げると、自分と同じ制服に身を包んでいる見知った顔があった。

「……宮崎先輩、久しぶりです」

「昔の通り、瞬兄ちゃんでもいいんだぜ」

「よしてください」

彼と並んで駅の駐輪場へ向かった。同じ歩数を歩いていても彼の方が先を進む。

「この歩幅の違いは何なんでしょうね」

「足の長さが違うからだろ」

彼は振り向きもせずに正解を言った。駐輪場で僕は自転車を、彼は原付バイクを引っ張り出した。

「おばさん、元気か」

「元気ですよ」

「再婚の気配はない？」

「まだ二人で住んでます」

宮崎瞬は僕にとって兄のような存在だった。家が近所で母親同士の仲が良かったため彼と接する機会は多かった。僕は母と二人暮らしなので、母が家に帰れないとき、僕は宮崎家に預けられて彼の部屋に布団《ふとん》を敷《し》いた。

「せっかく同じ高校に入ったのに、一年しか一緒にいられないな」

宮崎先輩はヘルメットをかぶった。彼は来年で卒業して大学に進学するらしい。僕は話を聞きながら彼の乗る原付バイクを眺《なが》めた。旧型で所々にキズやへこみがあった。それでも彼がまたがるとレトロでおしゃれなものに見えた。キズやへこみも味になった。彼は原付バイクのエンジンを始動させた。

「この前、先輩がつきあってる人と、廊下《ろうか》ですれ違いましたよ」

宮崎先輩が振り返って僕を見た。

「上履《うわば》きを隠されないよう気をつけてください。うちのクラス、神林先輩のファンが多いんです」

宮崎先輩が苦笑して頷《うなず》く。原付バイクのハンドルを握りしめて、発進しようと構えた。駐輪場の近くにあった遮断機が下りて、警報を鳴らし始めた。カン、カン、カン。高い音が響いた。

「あ、そういえば……」

それまで忘れていたことを僕は思い出した。

アクセルを回そうとしていた宮崎先輩の手が止まった。

「一ヶ月前に先輩、この道を女の人と歩いてましたよね……」

カン、カン、カン。それはレンタルビデオショップから帰宅する途中のことだった。自転車に乗って自宅へ向かっていると、線路に面したところで遮断機が下りてきた。カン、カン、カン。その音を聞きながら電車が通過するのを待っていると、遮断機の反対側を宮崎先輩らしい人影が横切った。僕は声をかけようとしてやめた。彼の隣に女の子が歩いているのを見かけたからだ。宮崎先輩のつきあっている相手なのだろうと、そのときは思った。しかし今から考えると、彼女は神林先輩だったのだろうか。別の女子生徒だったような気がする。

「……その子、確か、髪が肩までしかありませんでしたけど」

髪の毛は一ヶ月で腰まで伸びるものだろうか。

轟音《ごうおん》と一緒に電車が通り過ぎて、警報と赤い点滅は消えた。原付バイクのエンジン音だけが駐輪場に響いている。いつのまにか周囲が薄暗くなっている。

「お前、つきあってる子、いるんだっけ?」

彼が口を開いた。

「僕が女子と?　まさか!」

「そうか。じゃあ、好都合だ」

何がです?　僕が聞き返す間もなく、宮崎先輩は原付バイクを発進させた。


三日後の昼休みに宮崎先輩が突然、僕のいる教室へ来た。教室にいた女子生徒たちが、出入り口に立っている背の高い先輩を振り返って呆然《ぼうぜん》とした顔で会話を中断した。引退試合を終えていたが彼は先日までバスケット部のエースで目立つ外見をしていた。女子の間では入学直後から話題になっていたらしい。男子たちが神林先輩へ夢中になっていたように、女子たちは宮崎先輩の話ばかりしていたのだ。

「ノボル、話がある」

宮崎先輩は教室の片隅にいる僕を発見すると手招きしながら言った。クラスメイトたちが僕を一斉《いっせい》に振り返った。僕と本の話をしていた田辺は、「え、だれ?」という反応で宮崎先輩を見ていた。「ちょっと行ってくる」と僕は彼に告げて席を立った。

教室を出ると宮崎先輩に連れられて図書室へ入った。本棚の間を抜けて奥に移動すると、一人の女子生徒が僕たちの到着を待っていた。そこにいたのは神林徹子先輩、ではなかった。

＊＊＊

「どうして相原《あいはら》君はあの高校を受験したの？」

神林先輩が窓の外を見ながら聞いた。天神の空は曇っており、今にも雪の降ってきそうな気配があった。

「なんとなくです」

「瞬君がいたからじゃないの？」

「そうかもしれませんね」

「憧《あこが》れてたのね」

彼女は微笑《ほほえ》んで僕を見た。それからしばらくの間、僕達は宮崎先輩に関する話で盛り上がった。彼女の視点で見た宮崎先輩の姿が僕には興味深かった。彼女曰《いわ》く、彼ほど変な人はいないそうだ。確かにそうだろう。高校生のくせに、会社の経営戦略やマーケティングに関する本を読んでいるなんて、よほどの変人に違いない。

「あの頃から瞬君は、お父さんの会社のことを考えてたのね」

高校三年の当時、宮崎先輩は彼女にＰＯＳシステムがいかに大事かについて語って聞かせていたという。「ＰＯＳシステムというのは、販売時点情報管理のことで……」。宮崎先輩は彼女に力説していたらしい。

「私には何がなんだかさっぱりよ」

神林先輩は話をしながらおかしそうに笑った。

＊＊＊

「相原君、ちょっといい？」

宮崎先輩に図書室へ呼び出された日の翌日。登校して教室に入ると女子数人に話しかけられた。

「宮崎先輩と家が近いっていう噂、本当？」

「うん、そうだけど……」

僕は女子に囲まれて宮崎先輩とのつながりを説明させられた。彼女たちは鼻息荒く宮崎先輩についての情報を求めていた。僕は彼について話をした。彼のことを瞬兄ちゃんと呼んでいたこと。小学生のとき、彼の父親が経営する紳士服店の手伝いをしてお小遣《こづか》いをもらったこと。女子たちは熱心に話を聞いていて、あらためて宮崎先輩の人気の高さに驚いた。

朝のホームルームが始まってようやく僕は解放されて自分の席についた。一限目の授業が始まる頃、忘れていた懸案事項を思い出した。

「どうしたの、落ち着きがないね」

昼休みのことだ。昼食を購入するため購買に向かっていると、友人の田辺が質問してきた。彼は穏《おだ》やかな気性の持ち主で、体内時間もゆったり流れているのか、のそり、とした話し方をする。まるで象か鯨《くじら》が話しているようだった。外見もまた象か鯨のように大柄《おおがら》で、いつも背中を丸くして歩いていた。

「休憩時間も様子がおかしかったよね」

田辺は歩きながら、のそのそと聞いた。廊下ですれ違う女子たちが彼を振り返ってくすくすと笑っていた。大柄の彼が背中を丸めて歩く様は滑稽《こっけい》に思われるらしく、笑いの対象になっていた。

「悩みでもあるの?」

購買は校舎一階の片隅にあり、普段は静かな廊下も昼時だけは喧噪《けんそう》に満ちていた。

「君に黙っていたことがあるんだ……」

僕は田辺の顔を見た。彼は高校に入ってできた僕の唯一の友人である。なぜ僕が彼以外に親しい人間を作れずにいたのかは言うまでもない。人間レベルが恐ろしく低いからだ。人間レベル。それは、外見と精神の良し悪《あ》しを総合したものである。例えば宮崎先輩や神林先輩が90前後のレベルだとすると、僕の場合はレベル2程度である。外見は凡庸《ぼんよう》で性格も暗い。人間レベル、という価値観を頭の中に作ってしまうほど暗い。だからレベル2。ピラミッドの最下層グループに位置している。なぜレベル1ではないかというと、自分が最下層グループに位置していることを自覚しているだけマシだからだ。

中学時代の三年間、僕は常にクラスの底辺にいて、同じように底辺に存在するレベル5以下の友達と漫画やゲームの話ばかりしていた。人間レベルの高い者たちは、僕のように人間レベルの低い者を障害物として扱《あつか》った。

高校に入学して三日目に薄暗い電球のような気配を漂《ただよ》わせている田辺を教室で見つけてぴんときた。人間レベル2。自分と同じ種類を発見。勇気をふりしぼって話しかけてみると、やはりウマがあった。みんなに馴染《なじ》めないのは自分だけじゃないんだ。女子にもてないのは僕だけじゃないんだ。田辺のおかげでそう考えることができたし、そう考えるおかげで日常を平穏《へいおん》に過ごせた。

「君に黙っていたことがあるんだ……」

続きを言いかけたとき、背後から声をかけられた。

「相原君?」

振り返ると女子生徒が立っていた。

「百瀬《ももせ》……」

僕は彼女の顔を見て呟《つぶや》いた。野良猫《のらねこ》のような挑戦的な目つき。百瀬陽《よう》。彼女は肩までの髪の毛をいじりながら笑みを浮かべた。

「ちょうど良かった、一緒にごはん食べよう」

百瀬は僕の制服の裾《すそ》を手で摘《つま》んで引っ張った。百瀬の突然の出現に僕は慌《あわ》てた。田辺が説明を求めるような顔で僕を見ていた。

「実はその……」

人生の中で自分がそのような台詞《せりふ》を口にするとは想像もしていなかった。

「今まで黙ってたけど、この子とつきあってるんだ……」

＊＊＊

「そろそろ帰らないと。ここは私が払うね」

神林先輩は喫茶店の伝票を摘んで立ち上がりかけた。ありがたい。さすが資産家の娘。しかし僕は彼女を引き止めた。

「もう少しだけ、話をしませんか？」

＊＊＊

百瀬は野良猫に似ていた。特に目の辺りがそうだ。見ていると、挑《いど》まれている感じがしてぞくぞくした。田辺が質問を返す前に、僕は百瀬を振り返って言った。

「友人と食事がしたいんだ、悪いけど」

「残念。ところで、今日の授業、何時ごろ終わる？」

「四時くらい」

「そのころ屋上にいるから、呼びに来て。一緒に帰ろう」

百瀬は手を振って去った。僕と田辺は廊下に突っ立って彼女を見送った。百瀬が見えなくなって僕は田辺に頭を下げた。

「何となく、ごめん」

「……かわいい人だったね」

彼は僕から目を逸《そ》らすと、百瀬の去った方向を見て言った。ごめんよ。僕は心の中で何度も彼に謝罪した。彼の胸中が僕には想像できた。僕が彼の立場だったなら、置いてきぼりにされる恐怖に怯《おび》えていただろう。世の中には一生、女の子と縁がなく、手を握ることもできない人間が存在するのだ。田辺と僕は、自分たちが女性に縁のない人々の一員であるという自覚を持っていた。人間レベル2とは、そのような運命を背負《せお》った存在なのだ。

一日の授業が終わった後、僕は屋上へ向かった。百瀬は屋上の日向《ひなた》に腰掛けてウォークマンで音楽を聴《き》いていた。校内にそういったものを持ち込むのは規則違反だったが、彼女は気にしない性格のようだった。

「さて、帰るか」

僕が来たことに気づくと、彼女はイヤホンを外して立ち上がり、制服のスカートについた埃《ほこり》をはらった。

並んで階段を下りて廊下を歩いているときだった。右手の指にひやりとした感触があった。百瀬の細い指が僕の指に絡《から》んでいた。女子に対して免疫《めんえき》のない僕にとって、指同士が接触するなどという行為は、極めて致死性の高いものだった。指をほどこうとすると彼女が抵抗した。そうしているうちに知っている顔の男子生徒とすれ違った。振り返って確認すると、彼もまたこちらを見ていた。

「今のだれ？」

百瀬が聞いた。

「……クラスメイト。話をしたことないけど」

「明日には、私のことが知れ渡るかもね」

靴を履《は》いて校舎を出た後も指を絡ませて歩いた。隣を女子が同じ歩幅で歩いているという奇妙な事実に胸が高鳴った。空はよく晴れていて、野球部のだれかが金属バットでボールを打ち上げる甲高《かんだか》い音が遠くから聞こえてきた。校門を出て駅の方角に少し歩いた。

「この辺で終わりにしましょう」

立ち止まると百瀬は僕の指を振りほどいた。僕から素早く数歩の距離をとって背中を向けた。

「あー、早く帰って手を洗いたい」

「人をばい菌《きん》みたいに……」

僕は傷ついた。

「相原君の手、汗がすごいから」

彼女はハンカチを取り出して手をごしごしと拭《ぬぐ》った。

「自分から指を絡ませたくせに」

「何よ。学校の外では話しかけないでくれる」

百瀬は僕のことを薄汚いものでも見るように睨《にら》んだ。僕は怒るよりも先に呆《あき》れた。

「外で神林先輩に会ったらどうするんだよ」

「そのときは咄嗟《とっさ》に手を繋ぎましょう。今日は疲れた。あなたの隣って、居心地悪いのよね。待ち合わせに遅れるから、もう行くね」

彼女は走り去った。この後、あの人に会うのだろう。百瀬が密《ひそ》かにだれとつきあっているのか、それを知っているのは僕だけだった。学校にいる全員、そして神林先輩も二人のことには気づいていなかった。


「神林に、もう少しの間、秘密にしておきたい。考えがまとまるまでの間だけ……」

昼休みに呼び出されたとき、宮崎先輩が図書室で告白した。彼の隣には肩までの髪を持つ女子生徒が立っていた。挑みかかるような、野良猫を思わせる魅力的な瞳だった。一ヶ月前に遮断機の向こう側を宮崎先輩と歩いていた少女だと、すぐに気づいた。

「こいつと俺が駅のホームで話しているところを、だれかに目撃されたらしくてね」

それはある晴れた日曜日、僕や宮崎先輩の最寄《もよ》り駅でのことだったらしい。

「その噂が広まって、疑いを抱かれているような気がするんだ」

少女の自宅は高校を挟んで正反対の地域にあった。その彼女がなぜ、日曜日にあの駅にいたのだろう。もちろんそれは、宮崎先輩に会うためだ。世間に流れた憶測は真実をついていた。

「そこでノボルに頼みがある」

幼なじみのお前が、こいつとつきあっていたとする。それなら、こいつがあの駅にいたとしてもおかしくないだろう。こいつはお前に会いに来たんだ。幼なじみの恋人なら、俺と顔なじみでもおかしくない。ばったり駅のホームで会って、一緒に電車を待っていたとして、何かおかしいところがあるか？　もちろん、お前とこいつがつきあっていたと仮定したらの話だけどな。と宮崎先輩が話した。すぐには理解できない僕に、彼の横にいた女の子が説明してくれた。

「ようするに、私とあんたが恋人同士という演技をして、神林先輩の疑いをそらすってわけ。私の名前は百瀬。百瀬陽。よろしく」

いまだかつて女子と親しくなった経験のない僕にとってそれは荷の重すぎる作戦だった。

## 2

あらゆる面で僕と百瀬は正反対だった。例えば学校の廊下を歩くとき、彼女は腕を振って真ん中を突き進んだ。一方で僕は猫背気味になってこそこそと片隅を歩いた。

「図書室に行くんでしょう？　どうしてそっちの廊下を通るの？　こっちの方が近道じゃん？」

百瀬が渡り廊下を指さした。

「きみ、目が悪い？」

「両目とも2・0だけど？」

「なんであそこに集まっている人達が見えないの……」

渡り廊下には髪の毛を染めた不良生徒たちが大勢、立っていたり座っていたりあぐらをかいていたりしていた。そこを抜けようとすれば彼らの改造した制服の間をかき分けて進まなければならなかった。

「冗談よしてよね！」

百瀬は呆れた様子で僕の手首をつかむと渡り廊下を進み始めた。僕は廊下の窓枠に指をひっかけて抵抗したが無駄だった。

「ねえ、ちょっとそこ、どいて！」

百瀬が不良生徒に声をかけた。財布を教室に置いてくればよかったと僕は後悔した。しかし彼らは小遣いを請求することなく彼女と僕に道を開けた。

「ありがとう」

百瀬はそっけなく言って不良たちの間を進んだ。

「なあ百瀬、そいつ何なの？」

ガムを嚙んでいる不良生徒が僕を指さした。

「見ればわかるでしょう？」

百瀬が腰に手を置いて不良生徒に言った。

「いや、わかんね」

不良生徒は首を横に振った。わかんね。わかんね。他の不良生徒たちも全員、首を横に振った。

「痴漢《ちかん》をつかまえて職員室まで連行しているように見える」

不良生徒の一人が答えた。

「もういい。行きましょう、相原君」

百瀬はそう言うと僕の腕を引っ張って再び歩き出した。無事に渡り廊下を過ぎてようやく声が出せるようになった。

「あの人達とは知り合い?」

「顔見知り。屋上で煙草を勧《すす》められた」

中学生活の三年間、生徒手帳の規律を違反したことがない僕には縁遠い世界の話だった。

「勘違いしないでよ。授業はさぼるけど、煙草はことわったんだから。不良の仲間ってわけじゃないし、私はだれの仲間でもない」

あらためてよく見ると彼女の服装に規律違反はなかった。そういえば女子高生が身に着けていてもおかしくないアクセサリーの類《たぐい》さえ見られなかった。髪の毛も真っ黒で、特徴的なのは爛々《らんらん》と輝いている瞳だけだった。彼女はまるで野生動物のようにシンプルな格《かっ》好《こう》良さを持っていた。

最初の一週間は特に大変だった。学校でいかにもつきあっていますよというふりを始めたものの、女子生徒に免疫のない僕は、百瀬が正面に腰掛けたり、隣を歩いたりするだけで赤面した。戸惑いはいつまでたっても消えず、話しかけるときはいつも緊張した。恥ずかしいので彼女の目を正面から見られないでいると、誰も見ていない場所に連れて行かれて、「それだとつきあっているように見えないじゃんか！　やる気あんのかよう！」という風にがらの悪い性格へ変身した彼女から文句を言われた。

一緒に学食でうどんをすすりながら、音楽や映画や本の話をした。その結果わかったことだが、僕達の間には決定的に共通の話題というものがなかった。僕の趣味はゲームと漫画。彼女の趣味はスポーツ観戦。

スポーツ観戦！　体の隅まで文化系の僕にとっては違う宇宙の単語だった。スポーツ観戦を自発的にしたことなど、これまでに一度しかなかった。

共通の趣味がない女子と会話をする方法がわからなかった。それでもお互いのクラスメイトに恋人同士だと認知されるためには仲良くおしゃべりをしている必要があった。僕達は学食で向かい合って座りながら、あるいは廊下を歩きながら、すれ違ってばかりの話題を続けて無理矢理に笑顔を作った。

「苦痛だ……」

彼女がそう言ったのは六月初めのことだった。つきあっているという演技を始めて二週間が過ぎようとしていた。赤くなり始めている西の空を眺めていた百瀬は、屋上の転落防止用フェンスに寄りかかり、がくっと頭を垂れた。屋上に風が吹いて彼女の髪を揺らした。

「宮崎先輩とは、いつもどこで会話してるの?」

僕は彼女に聞いた。共通の話題がひとつだけあった。それは彼についてのことだった。

「電話とか」

「それだけ?」

「二週間に一度、会う」

二人の関係について想像を膨らませた。人に隠れてつきあうなどという面倒なことがよくできるものだ。僕達は宮崎先輩についての話をぽつりぽつりと交わした。彼はサッカーをしても野球をしても常にヒーローで、近所に住む子供たちにとって憧れだったことを話すと彼女は嬉しそうにしていた。「これ宮崎さんが買ってくれたのよ」と言いながら百瀬は傍《かたわ》らに放っていた鞄《かばん》の中から読み返しすぎてぼろぼろになった森鷗外《もりおうがい》の『舞姫《まいひめ》』という本を取り出した。僕が鞄に取り付けてあるキーホルダーを指さして「これは小学校のとき宮崎先輩からもらったものなんだ」と説明すると、彼女は僕の鞄をひったくってキーホルダーを外して「これは私がもらっとくからね」と言って喧嘩《けんか》になった。

「そろそろ帰りましょう。学校を出るまでは、仲の良いふりを続けないとね」

喧嘩を無理やり中断させて彼女は言った。僕たちは校門に向かった。指を絡ませるというアクロバット級の演技をしたのは初日のみで、あれ以来は並んで歩くだけだった。皮膚の接触は百瀬も嫌だったろうし、僕も心臓が保《も》たないだろうから、良い判断に思えた。しかしその日、予想外の出来事が起きた。

一階の廊下を歩いている最中、百瀬が僕の右手を握り締めた。百瀬は顎《あご》でさりげなく前方を示した。正面から宮崎先輩の歩いてくる姿が見えた。彼の隣に一度見たら忘れられない例の女子生徒が立っていた。

神林徹子先輩。あらためて見ると彼女は百瀬と対照的だった。歩き方が全然、違っていた。百瀬は躍動するように歩く。一方の神林先輩は落ち着いた物腰で歩き、その様子はまるで茶道や華道に長《た》けた人物を思わせた。もしも僕の人生が漫画だったなら、百瀬登場シーンの背景には野良猫がシャーッと鳴いている絵が描かれるだろうし、神林先輩登場シーンの背景には美しい生《い》け花の絵が描かれていることだろう。

「今から帰るのか？」

宮崎先輩が立ち止まって僕に聞いた。神林先輩も歩くのをやめて彼の横に立った。二人とも並はずれた外見をしていたので対面すると迫力があった。人間レベル90以上。いつでもテレビに出られる攻撃力を兼《か》ね備《そな》えていた。廊下を通り過ぎる生徒たちまでが、いったいどういう奇跡のカップルだよという表情で二人を振り返っていた。

「先輩も今から帰りですか？」

緊張しながら宮崎先輩に返事をした。僕は神林先輩の顔が見られなかった。僕と百瀬の演技は、彼女の疑いをそらすために行われているのだ。彼女の前でだけはミスをしてはならなかった。演技だと見破られた瞬間、この場が修羅場《しゅらば》になる恐れがあった。舌を動かす筋肉がひきつりそうだった。

「あなたが相原君ね。瞬君から聞いてるよ」

神林先輩が僕に微笑みを向けた。僕は肩が震えそうになるのを必死で食い止めた。彼女の視線が恐ろしかった。硬直して返事できないでいると、百瀬が僕の背中をバンと平手打ちした。

「おいおい。口が半開き」

百瀬は今にもビンタしそうな勢いで睨んでいた。

「あ、ご、ごめん……」

「みとれるのもほどほどにしといてよね」

宮崎先輩と神林先輩が笑った。僕は百瀬に感謝した。ナイスフォロー。

「いつもこう。綺麗な人を見ると、何もしゃべれなくなるんです」

百瀬は神林先輩を前にしても堂々としていた。

神林先輩は百瀬の大きな瞳を見返した。私はすべて知っているのよ。彼女がそう言い出すのではないかと危惧《きぐ》して僕は息を飲んだ。しかしそれは杞憂《きゆう》に終わった。

「あなたが百瀬さん？」

神林先輩は無警戒な笑顔を浮かべた。笑った子供の顔のように、何もかもを浄化させるような表情だった。僕は意表をつかれた。

「私のこと、ご存じなんですか？」

百瀬が聞いた。

「まあね……」

神林先輩は言いにくそうに口ごもり、宮崎先輩と視線を交わしあった。宮崎先輩はばつの悪そうな表情をしていた。

「まあ、こっちの話だよ」

宮崎先輩が言った。その横で神林先輩は恥《は》ずかしそうにしており、その仕草《しぐさ》には、百瀬と宮崎先輩との間に疑念を抱いている様子は微塵《みじん》も見られなかった。

彼女の反応から推測した。おそらく彼女は、少し前まで宮崎先輩と百瀬の関係を疑っていたのだろう。そして今はもう疑いは晴れ、疑い深かった自分を恥じているのだ。僕と百瀬がつきあっているという作られた事実が彼女の前で揺るがない限り、これからも彼女は宮崎先輩の言葉を真実として受けとめるに違いない。

「じゃあ、またな」

宮崎先輩が歩き出した。神林先輩は僕達に軽くお辞儀をして彼の後を追いかけた。

「意外とやさしそうな人だったね」

二人が廊下を曲がって見えなくなると、百瀬は呟いて歩き出した。僕は彼女の後を追いかけてその通りだと思った。校門まで僕達は無言だった。お互いに同じことを考えていたのだろう。それは神林先輩に対する罪の意識についてだった。

「あのキーホルダー、まだ捨ててなかったのかよ」

夜に自宅へかかってきた電話は宮崎先輩からだった。

キーホルダー？

「今日、百瀬にとられただろ。俺がガキの頃にあげたやつ。いつまでも持ってんじゃねえよ。恥ずかしいだろうが」

百瀬から聞いたんですね。

「さっき、あいつと電話したんだ。今日は危なかったな」

百瀬が助けてくれなかったら、しくじってたかもしれません。

「神林の誤解、なんとか解《と》けたみたいだ」

でも、まだしばらくは演技した方がいいですよね？　僕と百瀬が、急に他人同士になるのは不自然ですから。

「すまない。変なこと頼んじまって……」

神林先輩、いい人そうでした。

「あいつは、子供みたいに疑うってことを知らないからな……」

…………。

「俺は地獄に堕《お》ちると思う」

そんな……。

電話が切れた。

僕と百瀬が嘘の恋人同士を演じ始めて一ヶ月が経った。その間に日本は梅雨《つゆ》入りして梅雨明けして急激に暑くなった。七月に入る頃、僕は神林先輩と廊下ですれ違うとき挨拶《あいさつ》を交わすようになっていた。辞書で得た知識によるとこれは顔見知りという関係だった。クラスメイトの男子たちは僕のことをうらやんでいるようだった。以前の自分ならこの進んだ関係に興奮して鼻血を出して神林先輩と交わした言葉を一字一句日記帳に書き留めては寝る前に読み返してにやついていたかもしれない。しかし神林先輩と相対したときに感じるのは高揚などではなく演技の重圧だった。

一方で百瀬も神林先輩と挨拶をするようになっていたが、彼女には僕と違い度胸と機転の速さがあるらしく、神林先輩との応対をそつなくこなしていた。一度、二人が並んで立っている場面に遭遇《そうぐう》した。百瀬は自然な振る舞いで会話しており、神林先輩はすっかり彼女に騙《だま》されて話に引き込まれていた。まるで二人は旧知の関係のように笑い合い、親しい視線を交わしていた。

神林先輩と顔見知りになったことは、僕と百瀬にさらなる障害を招いた。

「ダブルデートって、どう思う?」

授業の合間の休憩時間に屋上で百瀬が言った。風の強い日だったので肩まである彼女の髪の毛とスカートの裾が揺れていた。デートというのはつまり、男女が日時を決めて会うことで、それがダブルということは、二組の男女が一緒に外をぶらつくという行為だった。

「ああ、あれね。漫画とか、ドラマとか、フィクションの世界でしかあり得ないやつのことだね」

「今度の日曜日に決行。昨日、宮崎さんから言われたの。神林先輩が、四人で遊びたがっているんだって」

頭から血の気《け》が引いた。

「一日中、四人でいるわけ？　つまり、ずっと演技してなくちゃいけないってこと？」

「嫌ならこういうこと最初から引き受けなければよかったんだよ」

百瀬は下等動物を見るような目で僕を見た。

「やるよ、もちろん。宮崎先輩が望むなら」

薄暗い電球のような僕が、明瞭《めいりょう》に物を言うことは珍《めずら》しい。

「見直した」

百瀬が初めて僕に微笑んだ。形の良い目が細められて、唇の隙間《すきま》から歯が見えた。風のせいで髪の毛が頬にはりついていた。僕は彼女から目をそらした。

日曜日まで三日の間があり、その期間に僕と百瀬はダブルデートの準備をした。

「きみは駅で僕の生徒手帳を拾って、それを届けに来たんだ。これでどう？」

「だめ。届けない。ゴミ箱に放り込む」

隣に腰掛けている百瀬の肩が、電車の揺れに合わせて僕の肩へ当たった。窓の外を田園風景が真横に流れていた。いつもなら学校を出てすぐに別れるはずだったが、その日、デートの準備をするため百瀬は僕の家までついてくることになっていた。

電車の速度が落ちてきて、駅のホームに止まった。降りる駅のひとつ手前だった。

「生徒手帳を拾うっていうアイデアに固執《こしつ》しすぎじゃない？」

百瀬がため息をつきながら言った。

「他にどんな方法で女子と出会えばいい？」

僕は素直な気持ちで聞いた。どのようにして相原ノボルと百瀬陽は出会い、つきあい始めたのか、という設定を僕達は電車に乗りながら考えていた。神林先輩から質問されたとき、お互いの思い出に齟齬《そご》があってはいけないため、あらかじめ口裏を合わせておく必要があった。しかしレベル２の僕は何かのマニュアルに沿ったような設定しか思いつかなかった。

「……こういうのはどうかな」

電車が静かに発進した。向かいの窓の動き始めた風景を彼女は見ていた。

「ある日曜日に中学三年の私は弟を連れてスーパーに行ったの」

「弟いたの？」

「まだ四歳。彼がその日、スーパーで迷子《まいご》になったのよ。店内を探しまくったけどいない。夕方になっても見つからない。きっと店の外に出てしまったんだって、店員さんと話して警察に電話してもらったの。私は気が気じゃなくて、スーパーの周りを探し回っていたんだけど……」

次第に電車の速度は上がっていき、がたん、ごとん、という音は早くなっていった。

「私は歩きつかれていたし、弟が心配で頭が混乱していたのよ。人目をはばからずに大声で名前を呼んでたの。そしたら、男の人が近づいてきて、何かあったんですかって聞かれたわけ。そいつが変な男でね、片手に『経営戦略の基本』っていう本を持って読みながら道を歩いていたわけ。事情を話したら彼も一緒になって探してくれたの。それから二時間、探し回ったの。そしたらもうすっかり真っ暗よ。あの子は誘拐されたのかもしれないし、事故にあったのかもしれないって考えてた。そうでなかったとしても、冬の寒い日だったから、今頃あの子は凍死しているかもしれないって私は動揺していたの。あの人は私をブランコに座らせて一人で探しに行って、私のそばに彼の持ってた本がほっぽりだされていて、ためしに読んでみたらページのいたるところに赤線が引いてあって……」

電車の速度がピークになり、彼女は口を閉ざした。少しの間、がたんごとん、という音だけが聞こえていた。

「……その人はきみの弟を見つけたの？」

僕が促《うなが》すと、彼女は頷いた。

「あの人は、いつか大きなことをすると思う。それよりも何、『経営戦略の基本』って?」

「知らない。海外で商品を作りたいけど、円安だからまだ難しいって力説してた。変な人」

彼女は目を細めていた。自分の子供について話すときのような、これまで見たことのない優しい表情だった。

電車が停車して、僕たちは立ち上がった。駐輪場から自転車を出し、それを引っ張って我が家までの道のりを歩き始めた。畑以外に何もない田園地帯の道だった。共通の話題がないためもちろん話は弾《はず》まなかった。

「この辺には来たことある?」

我が家のそばまで来たとき百瀬に聞いた。彼女は宮崎先輩の家がある方に顔を向けた。

「何度かね」

やがて僕の家に到着した。百瀬を家の前に待たせて僕は玄関を抜けようとした。彼女が呼び止めて聞いた。

「中に入っちゃ駄目なの?」

その質問は想像を絶していた。

「仕事が休みで、母さんが家にいるんだ」

「まあいいじゃん」

彼女は制止する僕を無視して勝手に家へ入った。おじゃまします。家の中には母がいてどうやらテレビを見ていたらしい。百瀬の声を聞いて居間を飛び出してきた。ノボル君の友人です。百瀬は勝手に自己紹介した。母はひどく喜んだ。僕が女の子の知り合いを家まで連れてきたのは初めてだったからだ。僕が豆電球レベルの輝きしか発しておらず女の子にもてないことは母も承知していた。だから母は百瀬に、お寿司でも取りましょうかと言った。

「気にしないでください。すぐに帰ります。デートに着ていく服を選びにきただけなんです」

百瀬の言葉は真実だったが、詳細を知らない母は身勝手に喜んだ。母は百瀬を僕の部屋に案内した。僕の抵抗はむなしかった。

「私の部屋の百万倍は整ってる……」

部屋を眺め回して彼女は意外そうに呟いた。僕は彼女の部屋を想像したが百万倍という数字が大きすぎて無理だった。母と百瀬は僕の部屋の箪笥《たんす》を開けてデート用の服を選び始めた。これでもない、あれでもない、と彼女たちは服と僕を照らし合わせながら相談した。憤《いきどお》りも羞恥《しゆうち》も起きなかった。自分の部屋に母以外の人間がいて簞笥を開けているという現実味のなさに僕はめまいを感じていた。物心ついた子供のころ以来、家の中は僕と母の二人しかいなかったのだ。僕と同年代の女子が家の中にいて、母と親しく話しているという光景は奇妙なものだった。

「私とお母さん、気が合いますね」

母と一緒に夕飯の準備をしながら百瀬が言った。

すぐ帰ると言ったくせに服選びは難航を極め、百瀬は結局、我が家で夕飯を食べていくことになったのだ。母は嬉しそうな顔で出前の寿司を注文した。母と百瀬は波長があったらしく沈黙の瞬間がないほどしゃべり続けていた。

「この子が女の子を連れてくるなんてねえ」

何十回も母はそう言った。心から喜んでいる母の表情というものを久しぶりに見た気がした。

食後に駅まで百瀬を送った。すでに田園地帯は暗闇に沈んでいた。転々と道に立っている電灯だけが道の存在を教えてくれた。

「お父さんの顔、覚えてる?」

「全然」

「あなたのお母さんっていい人だった」

「ありがとう」

「私のこと、本当に喜んでたみたいだったね……」

話しているうちに駅へ着いた。改札で別れるとき、彼女は逡巡《しゅんじゅん》した後で僕に手を振った。初めてのことに驚きながら、僕も照れくさかったが同じようにした。立ち去りがたくて、彼女の背中が見えなくなるまで僕は改札の前に立っていた。


翌日の朝、一年二組の男子生徒が僕のいる教室を訪ねてきた。運動部に所属しているような格好良い男子生徒だった。お前、百瀬とつきあってるのか、と彼は聞いた。僕が頷くとその男子生徒は不躾《ぶしつけ》な視線で僕の全身を眺めた。こんな奴が百瀬と……。彼の視線は無言で語っていた。

「私も話しかけられたよ。三人組の女子に」

百瀬が僕の髪の毛に鋏《はさみ》を当てながら話した。屋上に吹いている風が、切られた髪の毛を持ち去った。

「相原君のどこがいいの？　って真剣な顔つきで聞かれたの。返答に困っちゃった。そんなの、私の方こそ聞きたいし！」

じょきん。小気味の良い音とともに僕の髪の毛の一部が切断された。髪型が気に入らないので切らせなさい、と百瀬が主張したのは昼休みに学食で一緒にカレーを食べているときだった。屋上に移動して僕は散髪されることになった。彼女がどこからか調達したエプロンを首に巻かれて僕はフェンスのそばに座らされた。最初は心配したが彼女の鋏の使い方はなかなかだった。

「しょうがないから、なよなよしてるとこがいい、って答えておいたよ。三人とも私を変人扱いして笑ってたけどね」

七月の空は頭上に高く広がっていた。屋上には僕と彼女しかおらずグラウンドからの声も遠い世界から聞こえてくるように感じられた。散髪が楽しいらしく百瀬は鼻歌を歌い始めた。僕は話しかけずに雲を見上げていた。ぼさぼさだった髪の毛が少しずつ削《けず》られていき頭の軽くなっていく感じがした。僕は眠気に襲われてあくびをした。心地よい口笛。軽くなる頭。目を閉じると自分の体が空へ浮かびそうだった。体の隅々《すみずみ》まで温かい水で満たされたような気分になり、恋人がいるという気分はこんな感じなのだろうかと考えた。

「なんか、迷惑かけてごめん」

僕は彼女に言った。

「いいよ、髪切るの好きだし」

「そのことじゃなくて」

「変人扱いされたこと？」

ふふん、と彼女は笑った。散髪が終了して昼休みが終わり僕は午後の授業に出席した。席についてしばらく先生の話を聞いていたが、やがて息苦しくなり、前傾姿勢になって耐えた。

お前の気持ちは錯覚《さっかく》だ、と自分に話しかけた。お前はな、演技にのめりこみすぎているだけなんだよ。だからもう感じるな。一緒にいて楽しい、嬉しい、などという気持ちを遮断して心を守れ。この騒動が終わったら、彼女は去っていき、またお前は一人になるんだからな。

3

宮崎瞬。

彼の父親が経営していた紳士服店のことを特によく覚えている。小学校低学年のとき頻《ひん》繁《ぱん》に宮崎先輩に連れられて遊びに行った。郊外型の広い敷地面積を持つ店だった。磨き上げられた床に銀色のラックやハンガーがところ狭しと並んでいた。いつも大勢の客がいて、店員はその対応で忙しそうだった。僕と宮崎先輩は店の裏手で服の詰まった段ボール箱を運んで手伝いをすることもあった。

店には宮崎先輩のお父さんがいて、大勢の店員に混じって自ら接客をしていた。働いている店員はみんなお父さんのことが好きらしかった。僕の目にはまるで、国民から慕《した》われている王様のように見えた。宮崎先輩と僕は、お父さんのことを尊敬の眼差しで見た。その店はお父さんが若いときに立ち上げて続けてきたものだった。お父さんの人生そのものといっても良かっただろう。その店へ遊びに来た宮崎先輩は、容姿のかわいらしさもあって、店員たちから王子様のようなもてなしを受けていた。

中学生になると宮崎先輩は私立の中学へ進んだ。彼は勉強と部活に忙しくなり、僕と遊びに出かけることは急激に少なくなった。僕達はいつからか道ですれ違ったりする以外に顔を合わせなくなった。

人生の中でスポーツ観戦をしたことが一度だけあった。高校に入学してすぐの頃、バスケット部の部長を務めた宮崎先輩の引退試合を覗《のぞ》きに行ったのだ。試合中の彼は体育館全体の中心だった。チームは彼にボールをパスし、彼の動きに合わせて移動した。試合の流れも、観客たちの歓声も、体育館の床を震わせる靴音やボールの音も、すべて宮崎先輩を中心に成り立っていた。集まっている女子生徒たちは彼の動きを一時も見逃すまいとしていた。試合が終了し、チームの勝ちが決定すると、彼はチームメイトたちと喜び合っていた。彼はみんなから信頼されている。その姿が、かつて見た彼のお父さんとだぶって見えた。

試合を観た日の夜、僕は風呂場で久しぶりに足の傷跡を眺めた。傷跡は左の足首から膝まで伸びていた。浴槽の中に沈み湯気の中で僕は古い記憶を引っ張り出した。

足の痛みと、凍《い》てつく寒さ。僕は小学二年生のとき死にかけた。よしておけばいいのに自転車で大冒険をしていて怪我《けが》してしまったのだ。転んだ場所がいけなかった。そこは民家のある集落から遠く離れており、人気《ひとけ》のない筑後《ちくご》川沿いの道だった。しかも道は急な土手の上にあり、転んだ僕はチェーンの外れた自転車と一緒に斜面を滑り落ちてしまった。土手の下は筑後川の縁《ふち》まで見渡す限り何もない川原だった。流されて角の取れた灰色の石が地面を覆《おお》っており、植物の存在しない世界は寂《さび》しげであの世の光景を思わせた。なんとかして土手を上がろうとしたが、足に激痛が走り身動きすることもままならなかった。

だれかに見つけてもらえなければ凍《こご》え死んでしまうくらいの冷たい風が吹き付けていた。僕は地面に横たわったまま暮れていく空を見上げた。星が見え始めた頃、足の痛みは消えて、指先の感覚もなくなった。真冬にもかかわらず軽装だった僕は命の危険を感じた。喉の嗄《か》れるまで叫んだが助けはこなかった。やがて歯がカチカチと鳴り始めて、声を出すこともできなくなった。

後に聞いた話だと、いつまでも僕が帰ってこないので母は心配して交番に駆け込んだらしい。近所中の親達が総出で僕を探し回っていたという。しかし彼らは僕のいた地域よりも遠い場所を探していた。助けがこないまま、僕は何もかも諦《あきら》めて目を閉じた。

長い暗闇の後、病院のベッドで僕は目覚めた。左足には重いギプスがはまっており、身動きしようとすると痛みが貫《つらぬ》いた。隣のベッドに宮崎先輩が眠っていた。ベッドの下には泥だらけの彼の靴が転がっていた。

母が教えてくれた。深夜の零時《れいじ》ごろに、僕を背負った彼が家のチャイムを鳴らしたのだそうだ。大人たちとは別に、彼は寝室を抜け出して一人で僕を探していたらしい。僕を背負ってきた彼は、そのまま疲れ果てて倒れてしまったのだという。

西鉄久留米駅には巨大なバスターミナルがあり、西鉄バスが一日に何百台と通過していた。その日、待ち合わせ場所である駅に、宮崎先輩と神林先輩、百瀬と僕は集合した。私服姿の神林先輩や百瀬は新鮮に見えた。一方は図書室が似合うような丈《たけ》の長いスカートで、もう一方は体育館が似合うようなスニーカーにジーンズという姿だった。それまでの人生で決定的に女子と縁がなかった僕は、学校以外で女の子と会うなどということはありえなかった。そもそも休日に集まっている男女混合の仲良しグループなど、スプラッタ映画で殺害されるために登場する役柄でしか見たことがなかった。

「髪型を変えたな」

映画館に向かって歩いている途中、宮崎先輩が言った。映画を観ようと言ったのは宮崎先輩で、それに異論を挟む者はいなかった。観る映画はじゃんけんで勝った人が選んでいいことになり、僕がチョキを出して他の三人はパーを出した。

「百瀬さんに切ってもらいました」

答えながら僕は背後を意識した。数歩の距離を置いて百瀬と神林先輩が親しそうに話をしていた。

「色気づきやがって」

宮崎先輩は僕の腕を小突いた。すれ違う若い女性が宮崎先輩を振り返っていた。彼の姿は人の目を惹きつける。並んで歩いていると、通行人の視線は僕を通り過ぎて彼に向かうため、まるで自分が透明人間になったような気がした。

映画『刑事ジョン・ブック／目撃者』のチケットを購入して久留米スカラ座という映画館に入り、次の回の入場をロビーで待ちながら僕達は立ち話をした。話題はこれから観る映画のこと、好きな俳優、記憶に残っている台詞などだった。基本的に僕と神林先輩は聞き役で、宮崎先輩と百瀬が話す役だった。

宮崎先輩が好きだと言った男優を、百瀬は嫌いだと言った。俺たちはどうも趣味があわないね。そうみたいですね。二人は困惑気味に話して、僕と神林先輩は笑った。

内心で僕は笑っていなかった。これは神林先輩を騙すための嘘なのではないか。二人とも密かにつきあっているわけで、それならお互いにどこか趣味のあうところを感じているはずだろうから、どうも趣味があわないねという困惑気味な言葉はフェイクだったのではないか。会話が行われるたびにそのような裏読みする思考が延々と繰り返された。やがて僕には四人での立ち話が過酷《かこく》なスポーツのように思われてきた。

「どうしたの？　顔色が悪いよ？」

神林先輩が僕に聞いた。彼女は子供のように澄《す》んだ目をしていた。

「大丈夫です……。昨日、眠れなかっただけです……」

僕は疲れてすっかり気持ち悪くなっていた。

「あっちで休もうか」

百瀬が心配そうな様子で僕の肩に手を置いた。宮崎先輩と神林先輩を残して僕達はロビーの片隅にあるベンチへ移動した。並んで腰掛けて介抱《かいほう》する百瀬はどう見ても僕の恋人だった。

「力を抜きなって」

遠くからこちらを見ている二人の先輩を横目で確認しながら百瀬は囁《ささや》いた。

「情けないなあ」

「しょうがないだろ、僕はレベル2なんだから」

「はあ？　何のこと？」

彼女の手が僕の腕に載せられた。手のひらの熱が皮膚を伝って体内に侵入した。緊張して強《こわ》ばっていた心が、彼女の体温によって解かれていくのを感じた。呼吸が落ち着き僕は楽になった。だれかの体温とはこんなにも人を安堵させるものなのかと驚いた。そうか。だからみんな、恋愛がどうのこうのと言いやがるのか。

劇場の出入り口から観客が出てきた。百瀬は僕の腕から手を離して出入り口を振り返った。彼女の触れていたところは最初のうち温かかったが次第に冷めていった。そうだ。それでいい。

映画の後で僕達は昼食を食べた。西鉄久留米駅二階に飲食店の並んでいる場所があり、その一画にある『甲子園《こうしえん》』というお好み焼きの店に入った。そこは僕と宮崎先輩にとって思い出の店だった。小学校低学年のとき親に内緒で電車に乗って何度か訪れたことがあったのだ。

「この店、私もよく来た。親とこの辺に来たら、必ずお昼はここだったな」

百瀬が言ったちょうどそのときに四人分のお好み焼きが運ばれてきた。この店は店員が焼いたものを運んでくるシステムで、客が焼くわけではないのだ。

「三人とも常連だったの？」

神林先輩が聞いた。

「有名な店だし、偶然ってわけじゃないよ」

宮崎先輩が最初の一口を食べた。

「私だけ知らなかった」

ふくれた様子で神林先輩もお好み焼きを口に運んだ。

「……うまい」

彼女の表情は一変してにこやかなものとなった。彼女に対して僕は恋愛感情などという恐れ多い気持ちを抱いていなかったが、不思議と表情や言葉に吸い寄せられるようだった。彼女の反応は素直で、僕より年上にもかかわらず、親がかわいい娘を見守るような気持ちにさせられた。

宮崎先輩が彼女についてこう話していたことを思い出す。「あいつは、子供みたいに疑うってことを知らないからな」。確かに、彼女をまだ知らなかったとき、女子生徒に囲まれて学校の廊下を歩いているときの彼女はどこかの国の王女様のようだった。しかし今、無心に食べている目の前の彼女は小さな女の子のようだ。

「お好み焼きを食べたの、初めて」

食べ終わって神林先輩が問題発言をしたので僕と百瀬は唖然《あぜん》とした。

「うちでホットプレートとか使ってやんなかったんですか？」

百瀬の問いに神林先輩は首を横に振った。

「店で食べたりもしなかったと」

僕の問いにも彼女は首を横に振る。

「予約がいる店にしか連れて行ってもらえなかったんだよな」

「うん」

宮崎先輩の言葉に彼女は頷いた。噂に聞いていたが、神林先輩は地元で有名な資産家の娘だった。自宅に何台もの外車を持っているという僕達にとって現実感のない人だった。店を出るまで僕達は神林先輩の家の話題を続けた。部屋数はどれくらいなのか、お小遣いはいくらなのか、という質問に彼女は答えてくれた。

「私が小学生のときの話なんだけど。時々、お菓子を持ってうちに来ていたおじさんがいたの。私、そのおじさんの持ってくるお菓子が好きだったのね。でも、その人がどんなお仕事をしていて、父とどんな関係だったのかは知らなかったわけ」

社会科見学で県庁に行ったとき、小学生の神林先輩は、廊下でそのおじさんに遭遇した。あ、お菓子おじさんだ！　思わず彼女が叫ぶと、引率《いんそつ》の先生は青ざめた。なんとお菓子おじさんは県知事だったのだ。


食べ終えて店を出た僕達は、バスで公園に行ってぶらつくことにした。公園には大勢の家族連れがいて穏やかな空気が流れていた。花壇の前で立ち止まると、神林先輩は花を眺めながら花言葉を説明してくれた。

「ハリソン・フォードはやっぱり最高だったよ」

ベンチを発見した宮崎先輩が、映画の感想を言いながら腰掛けた。映画はシンプルで奥の深い内容だった。四人ともその出来に満足して、映画の感想でいつまでも会話を繋げることができた。

僕がトイレを探しに立ち上がると、私もと言いながら神林先輩も立った。彼女と二人でトイレを探して歩いた。その頃には演技をしているという緊張がなくなって、僕と彼女は本当の友人のように話し合い冗談を言えるようになっていた。

「『刑事ジョン・ブック／目撃者』って、変な題名よね」

神林先輩が歩きながら言った。僕は頷いて感想を話した。

「アーミッシュっていう存在を、初めて知りました」

宗教上の理由から近代文明と関わらずに生きる人々がアメリカの一部の地域に存在していて、彼らはアーミッシュと呼ばれている。彼らの村には電話もなければ車もない。移動には馬車を使い、衣服も質素である。『刑事ジョン・ブック／目撃者』という映画は、偶然に殺人事件を目撃したアーミッシュの子供を守るため、主人公の刑事がその家庭に身を潜めるという話である。主人公は近代文明からの異邦人、アーミッシュの村は前近代的社会、それらの異文化交流をする様がこの映画の醍醐《だいご》味だった。

「黄昏《たそがれ》の中で、子供の母親と主人公がキスするシーンを覚えてる？」

アーミッシュが外部から来た人間と恋に落ちるのは宗教上の違反だった。それをわかっていて子供の母親は主人公の元に走っていく。

「本当に起こり得るでしょうか」

僕は彼女に聞いた。異なる文化、歴史、宗教観を持った二人が抱き締めあうことなど起こり得るのだろうか。映画の中にあったその奇跡のシーンが目に焼きついていた。

「黄昏の中なら神様も許してくれるのよ」

神林先輩は少し能天気な口調で言った。僕は頷いて、その瞬間、かけがえのない友人として彼女のことが好きになっていた。

トイレから戻ると四人でキャッチボールをした。僕と神林先輩がいないとき、コンビニに出かけていた百瀬が思いつきで安いゴムボールを購入していたのだ。公園の広場で僕達は適当に距離をとりボールを投げた。宮崎先輩と百瀬にはすぐれた運動能力があり、僕と神林先輩にはそれが欠如《けつじょ》していた。神林先輩は運動に不向きな服装だったというハンデを差し引いても上手とは言えなかった。でも彼女の人間レベルが低下することはないのだ。他の部分が恐ろしいくらいに高いから。

キャッチボールはのどかな公園の雰囲気によく合っていた。続けているうちに不思議な連帯感が生まれた。ずっと昔からこの四人でボールのやりとりをしていたような快《ここよ》い気持ちになった。そのうちに百瀬が勢い余って強くボールを投げてしまった。宮崎先輩が取り損《そこ》ねてボールは車道の方に転がった。僕たちはボールの行方《ゆくえ》を追った。車道のそばに駆けつけたとき、転がっているボールの上を車のタイヤが通過した。

「記念に持って帰ろうと思ってたのに……」

潰《つぶ》れたボールを眺めながら百瀬は呆然とした様子で言った。僕達は帰ることにした。バス停に向かって歩く辺りから百瀬は口数が少なくなり会話に混じろうとしなくなった。

公園から駅に向かうバス停のそばに『ほおずき市』という垂れ幕が下がっていた。会場はバス停のすぐそばにある植物園前の広場だった。バスの到着まで二十分も間があったので僕達はほおずきの鉢植えに見入《みい》って時間をつぶした。バスが到着したころ空は赤くなり始めていた。僕達は乗り込んで車内最後尾の座席に横一列で座った。発進してしばらく経ったころ、神林先輩が手のひらの上に提灯《ちょうちん》のようなほおずきの膨らみを載せて眺めていることに気づいた。

「落ちてたのを拾ったの。瞬君にあげようと思ってさ。はい、これ」

彼女は隣に腰掛けた宮崎先輩にほおずきを渡した。その仕草を見ていて、彼女は本当に彼を愛しているのだと思った。ちなみに、空気を孕《はら》んだ赤色の膨らみの正体は、ほおずきの実ではなく、がくの部分であるらしい。もちろん、当時の僕はそのことを知らなかった。宮崎先輩はほおずきの膨らみを少し眺めて僕に言った。

「俺は西鉄で降りて神林を見送るから。お前たち、ＪＲの駅までバスに乗るんだよな」

西鉄久留米駅のバスターミナルは大勢の人でごったがえしていた。宮崎先輩と神林先輩はそこで降りて人混みの中へ消えた。

僕と百瀬は二人が去った後も最後尾の座席に腰掛けていた。バスは発車して終点のＪＲ久留米駅に向かい走り始めた。僕と百瀬はそこで電車に乗り換えるつもりだった。百瀬は窓際に寄って外のビル街を眺めていた。お互いに無言で、間には疲れ切ったような空気があった。バスが停車するたびに車内の人は減っていった。外が薄暗くなり車内の蛍光灯《けいこうとう》がついた。いつのまにか世界は黄昏の中にあった。

「平気でいられると思う?」

百瀬が窓ガラスに向かって呟いた。


窓に彼女自身の顔が映り込んでいた。彼女は僕に向かって話していたというよりも、窓に映っている自分に語りかけていた。

「あの人が最終的に選ぶのは、彼女なんだから」

挑みかかるような目の輝きはそのときの彼女になかった。バスは走り続けた。心臓が冷えていくような気持ちで僕は座席に座っていた。宮崎先輩のことを愛している女の子がここにもいた。百瀬は彼のことを割り切っているのだと僕は思いこんでいた。しかし、その認識は違っていたのかもしれない。

あらためて百瀬の胸の内について考えた。目の前で親しくしている宮崎先輩と神林先輩を、どのような思いで見ていたのだろう。彼女は世の中の理不尽なものに対して免疫があるのだと思っていた。彼女は僕に比べて様々な経験が豊富らしいと感じていた。だから彼女は僕のように弱音《よわね》を吐《は》かないのだろう。不良を恐れないのだろう。泣いたりしないのだろう。しかし本当にそうだったのだろうか。

僕達はJR久留米駅でバスを降りた。閑散《かんさん》とした駅前の広場を、百瀬は黙りこくって早足に歩き出した。僕は彼女を追いかけて駅に向かった。

「来ないで」

百瀬は前を向いたまま言った。

「でも、僕も電車に乗るし」

「じゃあ、もっと離れて！」

百瀬の声は震えを孕んでいた。僕は立ち止まって彼女の背中を見送った。彼女は駅構内に入りやがて見えなくなった。

駅のホームで彼女に会うのが気まずいため、駅前広場で時間をつぶしてから行くことにした。タクシー乗り場付近に立つと、暮れていく空が頭上に広がっていた。

いくつかの記憶が頭の中をよぎる。

死にかけた川原の寒々しい風景。

凍えながら見上げた冬の空。

僕を助けて倒れ込んだ宮崎先輩が、翌日の昼に病院のベッドで目覚めたときのこと。

「大人になったとき何になりたい？」

僕が泣きながらお礼を繰り返していると、小学生の宮崎先輩は質問した。そんなのわからないよ、と僕は答えた。彼は目を細めて病室の天井を見上げた。

「俺は父さんの店を継ぐんだ。ノボル、そのときお前を雇ってもいいよ」


レベル2の僕は、いつも宮崎先輩に憧れて生きてきた。彼のことを疑うなど、これまで一度もしたことはなかった。女子生徒二人とつきあっていると知っても敬《うやま》う気持ちは変わらなかった。彼がはたして、何か間違ったことなどするだろうか？

クラクションを鳴らされた。邪魔だぞ、どけよ。タクシーの運転手が僕を睨んでいたので、歩道の隅に逃げ込んだ。通り過ぎる人たちがクラクションの激しい音に振り返って僕を見ていた。恥ずかしいやら情けないやらで体中が熱かった。一日中、気を張りつめていたせいで疲れてもいた。その上に僕は様々なことを考えすぎた。歩道の片隅に座り込んだ。通り過ぎる人達がやっぱり僕を振り返って見ていた。僕は石をつかんで投げつけたい気分だった。泣きそうになるのを必死でこらえていると声をかけられた。

「相原君……？」

男が立ち止まって僕を見ていた。私服の彼と会うのは初めてのことだったせいか、咄嗟に誰なのかがわからなかった。高校でできた唯一の友人だったのに、百瀬と話すようになって彼とは疎遠になっていた。もう一人の薄暗い電球、田辺が立っていた。

4

「二人は演劇部に入るといいよ」

ドーナツを食べてストローでジュースを飲み一息ついてから田辺はのそりと言った。

「きみと百瀬さんが演技してたなんて気づかなかったなあ。うん。相原君、役者になれるって」

駅付近にあるドーナツ店で向かい合って座り、僕はこれまでの経緯《いきさつ》を田辺に話した。昼休みに宮崎先輩に呼び出されて、図書室で百瀬を紹介されたこと。神林先輩と宮崎先輩、そして百瀬の関係。彼らの三角関係の中に、僕が入り込んでしまったこと。それらの話を田辺は口を挟まずに聞いてくれた。

「黙っていてごめんな」

聞いてくれるならだれでも良かったというわけではない。田辺の鈍《にぶ》い話し方を、クラスメイトたちは彼の見ていない場所で笑っていたが、僕は好きだった。

「彼女なんているはずないだろ」

僕達はお互いに似たような立場を歩んできた。人間レベルが一桁《ひとけた》の人生。僕達は平凡以下の容姿をしている上に、学力があるわけでも、運動神経が高いわけでもない。おまけに社会適応能力は五歳児以下。普通に根暗《ねくら》で髪の毛がぼさぼさの僕達が、女子に好かれるはずもなかったし、話しかけられることもあるわけがなかった。このまま女子と親しくならないまま人生を終えるかもしれない。百瀬と知り合う前はそう思っていたし、田辺もまた同じように考えていただろう。

「髪型がいつもと違うよね。なんか、整ってる」

田辺が僕の頭を指さした。

「一昨日の午後もそうだっただろ」

「そうだっけ?」

「一昨日の昼休みに百瀬が切ったんだ」

彼女の鼻歌と、屋上の暖かさを思い出した。

「……演技はもう限界だな」

「どうして?」

「これまで通りにできる気がしない」

「百瀬さんのことが本当に好きになったんだね」

田辺は遅いテンポで的確なことを言った。僕は笑ってしまいそうになるのをこらえた。

「あいつのことなんて、知らなければ良かった。ずっと他人だったなら良かったのに」

もしそうだったら、今後の人生を僕はずっと一人きりでも耐えることができたはずだ。僕は胸の内側がかき回されるような息苦しさを感じた。彼女はなんてことをしてくれたのだろう。僕の心に入り込むなんて、本当に酷《ひど》いことを百瀬はしてしまったのだ。僕と手を繋ぐなんて、酷いにもほどがある。母と話してくれるなんて、髪を切ってくれるなんて、罪深いにもほどがある。それらの行為が後に僕をどん底に突き落とすなんて、彼女は気づかなかったのだ。楽しい記憶や、嬉しい感情が、僕にとっては猛毒なのだ。僕はもう弱くなってしまった。猛毒のせいでもろくなってしまった。これからどうやって生きていけばいいのだろう。一人きりでいることが普通で当たり前のはずだったのに。百瀬が心に入り込んだせいで。

同意してくれるのは、同じように女子と縁のない人生を送る田辺だけだ。僕達は宮崎先輩ではない。人間レベル一桁なのだ。たとえ好きなものができて腕を伸ばしても、それを手にすることはない。だから僕達は、高望みせず自分に見合った人生を送らなければいけない。慎《つつ》ましく、何かに憧れることなく、だれかを好きにもならず。自分の人生が豊かではないことに疑問を抱いてはならない。だって人間レベル2だぜ。そんな自分が、人と同じようにできるなんて思うなよ。夢なんて見てみろ。酷い目にあうことはわかりきってる。しかし田辺は首を横に振った。

「馬鹿だなあ」

彼は呆れたように言った。僕は意表をつかれて、普段、クラスメイトたちから馬鹿にされている友人を見つめた。彼は遅い速度でゆっくりと語った。

「知らなければ良かったなんて、言わないでよ。素敵なことなのに」

「だって……」

田辺は恥ずかしそうにうつむいた。

「尊《とうと》いことだよ。憧れているんだ」

うつむいて真っ赤になっている彼の顔が印象に残った。

「僕の体験したことが、素敵なことだって……？」

「うん。大切にするべきものだよ」

彼の声は確信に満ちていた。

「そんな馬鹿なことってあるかよ！　何も知らないままの方がいいに決まってる！」

大きな声が出てしまい、店員がこちらを向いた。波風の立たない平穏な人生はもう来ない。僕は十年後も二十年後も、十五歳だったときのことを思い出して胸をかきむしるに違いないんだ。幸福であることがどのような状況なのかを知った。そのせいで自分のみすぼらしさに途方にくれるだろう。しかし田辺は動じずに答えた。

「僕は知りたいよ。きみが感じている今の感情。生まれてから一度も、まだ僕は知らないんだ。今後、いつか僕もその病気にかかるのかな。そのとき、今の僕はなんて無知で子供だったのかって思うのかも。後悔して懺悔《ざんげ》したくなるほどつらいのかも。でも僕はその感情を知りたいと思うよ」

なぜかわからないが、僕は思わず泣きそうになった。

「鏡を見ろよ、僕達がそんなことを知ったら、身の破滅なんだ！　きみが言うその感情は怪物と同じだ！　胸の中で暴れ出しても、僕達のような種類の人間にはどうにもできないんだよ！」

「わかってる。でも、その怪物、僕の中に来てくれるなら来てほしいよ。きみはその怪物を殺さないで。それは大切にしなくちゃいけないものだよ」

彼は僕を呆れさせた。しかし不快な気分ではなかった。その瞬間は気づかなかったが、後に思い出したところによると、この瞬間を境に、僕はレベル2がどうのこうのとあまり考えなくなった。

「いつかだれにでも訪れるのかな。そのときが来たら、今の自分はどうなってしまうのかな」

田辺が独《ひと》り言を呟いた。僕はうつむいて自分の手を見つめた。

「百瀬さんに連絡してみた方がいいんじゃない？」

「…………」

ドーナツ店を出て駅のホームに向かった。田辺は逆方向の電車に乗ることになっていた。

「……ありがとう、話を聞いてくれて」

電車に乗り込もうとする田辺に僕は言った。もしも彼に会わなければ、僕はもう百瀬のことを忘れて宮崎先輩や神林先輩とも距離を置くつもりだった。

「でも、解決しなくちゃいけない問題がある」

彼は照れくさそうにしながら言った。

「わかってる」

僕は頷いて決心を固めた。扉が閉まり、田辺の乗った電車が走り出す。僕の乗るべき電車もホームに入ってくる。それに乗り込んで僕は自宅に戻った。居間の電話で宮崎先輩の自宅に連絡を入れた。

　自転車を道端に止めて土手の上に立つと、筑後川に映り込んでいる月が見えた。川原には土手から川縁《かわべり》まで植物は見あたらず石しかない。不思議なことに、子供のころ見たとき感じたような、あの世を思わせる寂しい雰囲気はなかった。自転車を残して土手の斜面を降りてみた。この辺りで僕は気絶したのではなかったかな、という場所を歩いて探したがよくわからなかった。

　時計が深夜零時を指して待ち合わせの時刻になった。遠くから原付バイクの音が聞こえてきた。ヘッドライトの光が土手の上を滑ってきて自転車の辺りで停止した。

「ここで会うのは、何年ぶりかな」

　宮崎先輩は土手の急斜面を降りながら言った。月光による彼の細長いシルエットが僕に近づいてきた。

「七年ぶりです。前にここで会ったとき、僕は気絶していましたけど」

　宮崎先輩は僕の近くに来て周囲を見渡した。土手の斜面から虫の鳴き声が辺り一帯にこだましていた。凍えるような風はもう吹いていない。僕達は少しの間、無言で周囲を眺めた。

「土手を歩いていると、お前の呼吸する音が聞こえたんだ……」

宮崎先輩が言った。七年前の冬、僕が家に戻ってこないと知り、大人たちは集落中を探し回った。宮崎先輩も捜索に加わろうとしたが、子供だからという理由で留守番させられた。だから彼は、ただ一人で夜中に寝室を抜け出したのだ。

彼が望むなら殺人でも強盗でも引き受けたっていい。人生を捧《ささ》げることに何のためらいがあるだろう。今、僕がいるのは彼のおかげなのだ。僕はいつもそう考えて生きてきた。

「もう忘れろよ」

宮崎先輩の声がした。彼は白い月光を横顔に受けていた。

「昔のこと。忘れてもいい時期だよ」

「でも……」

「俺はお前の命を救ったかもしれない。でも、神様じゃないんだ。だから俺の言うことにいつも従う必要はないよ。俺はお前を利用していた……」

うつむいて彼の顔は影が濃くなった。

「呼び出したのは、百瀬とのことで話があったからなんだろう?」

「僕はもう無理です……」

「自由にするといい」

虫の声が一瞬、やんで静かになった。

「俺の言うことに従わなくてもいいよ。昔のことなんて考えるな」

僕達は一緒に川原を歩き出した。砂利《じゃり》を踏みながら水辺に近づくと、川の流れる音が大きくなった。濃い水辺の匂いにむせながら、夜の空気に湿っぽさを感じた。

「ノボル、苦しかっただろう。勇気がいっただろう。呼び出されたときに気づいたんだ。百瀬のために俺を呼び出すのは、お前にとって本当に大変なことだっただろうなって」

「僕は大人になっても瞬兄ちゃんのことを忘れませんから」

水辺に沿って歩く。土手には街灯も民家もない。月の明かりだけが、流れの波紋に砕けながら表面で輝いていた。

「僕の自慢なんです。瞬兄ちゃんは……」

「俺はそんなに良くできた人間じゃないよ」

無数の石ころが靴の裏側で軋む。同じ歩数で歩いていても彼の方がいつも先を行ってしまう。足の長さが原因だ。僕は必死に歩みを早くして彼の隣に立とうとする。

「瞬兄ちゃんはすごい人です」

「だから違うってばさ」

何度か同じようなやり取りが繰り返された後、困惑した声で彼は言った。

「これから店に行ってみないか？　子供の頃、一緒に遊んだ親父の店だよ。覚えてるか？」

「覚えてます」

「事務室で手紙を書きたいんだよ、百瀬に」

川原から店までの距離を宮崎先輩の原付バイクに二人乗りをして移動した。夜の風を頬に受けて人気のない田園地帯を滑走《かっそう》しながら、僕と彼は子供の頃へ戻ったように「ワー!」と奇声をあげた。声は夜の田園に広がった。

町の郊外にある宮崎紳士服店の駐車場に到着して原付バイクを降りるとき、僕達は小学生に戻ったように笑い転げていた。

「寂《さび》れていて、驚いたろう?」

店の勝手口を開けながら宮崎先輩が言った。頻繁に出入りしているらしく、彼は店の鍵を原付バイクのキーホルダーに取り付けていた。宮崎先輩と遊ばなくなっていたこの数年間、彼の父親が経営している紳士服店にまったく近寄らなかった。少し見ない間に店の様子が変わっていた。深夜なので判然としなかったが、どこか薄汚れた印象があった。子供の頃は巨大に感じられた店が、狭く小さなものに思えた。

「経営がうまくいってないんだ……」

勝手口から入ったところが店の事務室だった。電気がつくと、様変わりした事務室の姿が目に入り僕は驚いた。大勢の大人たちが行き交って活気のあった事務室が、今では半ば物置のようになっており、段ボール箱が雑然と積み上がっていた。

「父さんはがんばってる方だ。よく保ってるよ、この状況で」

宮崎先輩は部屋を見回して説明した。しかし彼はすっかり元気を失っているというわけではなかった。

「この店は父さんの人生そのものなんだ。潰すわけにはいかない」

子供の頃、父親を尊敬の目で見ていた彼の姿を思い出した。

「俺、大学に行って、経営について学ぼうと思ってる。そして親父の手伝いをするんだ」

彼に勧められて僕は椅子に腰掛けた。宮崎先輩は僕の正面に座り、会社経営に関する今後の計画を教えてくれた。彼は、経営を盛り返して拡大するアイデアをいくつか持っており、後は資金を調達するだけなのだと話した。

「大丈夫だ。何もかも、大丈夫だ」

彼は事務椅子を軋ませながら呟いた。宮崎先輩は立ち上がると、埃を被《かぶ》った事務机の引き出しからノートとボールペンを取り出した。

「子供の頃は楽しかったよな」

彼は話しながらノートに文字を書いた。

「覚えてるか。よく、ここに遊びにきただろう」

事務室の窓は室内の明かりを受けて鏡のようになっていた。そこに宮崎先輩と僕の姿が映り込んでいた。いつのまに僕達はこんなに背が伸びたのだろう。宮崎先輩が文字を綴《つづ》っているかすかな音が室内に響いていた。

やがて宮崎先輩はノートのページを破り丁寧に折ると、両手で握り締めて胸のところに持ってきた。手紙の中へ祈りでもこめるように、彼は目を閉ざして少しの間じっとした。

「百瀬の家までの地図を書くから、お前、今からこの手紙を届けに行ってくれないか？」

目を開けると宮崎先輩は言った。了解すると、彼は地図を書いてくれた。店を出て僕達はまた原付バイクに二人乗りをした。土手に到着すると、彼の後ろを離れて僕は止めていた自転車に乗り換えた。

「百瀬をよろしくな」

「はい」

僕は宮崎先輩に見送られて発進した。自転車を二十メートルほど進めて振り返ってみると、彼の小さな黒い影はまだ土手に佇《たたず》んでいた。月明かりしかなかったのでよくわからなかったが、原付バイクにまたがった状態のまま、僕の方をじっと見つめていた。

三時間後、地図を見ながら百瀬の家を探し当てたとき、すでに東の空が明るくなりかけていた。地図と、『白瀬』という表札と、門の向こう側に見える民家を見比べて、そこが百瀬陽の家に間違いないことを何度も確認した。ほどよく周囲に田園があり、街灯や茂みがあり、そこは僕の家と似たような田舎の住宅地だった。

自転車をこぎ続けて僕の足はぱんぱんになっていた。おかげで普通に歩くこともままならず、生け垣につかまってよろけながら彼女の部屋の下に移動した。宮崎先輩が地図に注意書きで示してくれた通り、道に面した二階のガラス窓に黄色のカーテンがかかっていた。

「(百瀬……!)」

世間のことを配慮して小声で叫んでみたが彼女の起きてくる気配はなかった。そばに落ちている小石の粒を拾って投げてみたがカーテンは閉じたままだった。最後に決心して僕は塀《へい》を上ることにした。塀と家の壁との間には十センチほどの隙間しかなかったので、塀の上に立てば彼女の部屋の窓を直接に叩くことができるはずだった。疲労した足では難しい作業だったが、腕で体を持ち上げ、足を塀に引っかけて、なんとか塀の上に立つことができた。

「百瀬、起きろ!」

鼻先にきた窓ガラスを拳《こぶし》で叩いた。がん、がん、がん。しばらくして窓ガラスの向こうで黄色のカーテンが揺らぎ細く開けられた。目をしょぼしょぼさせたパジャマ姿の彼女がガラスの向こう側に見えたとき、三時間も自転車をこいだ両足の疲労は綺麗さっぱり消え去った。

「相原君？」

彼女が驚いて窓を開けた。

「あんた、何やってんのよ！」

「手紙を届けに来たんだ」

ポケットに入れていた紙片を取り出して百瀬に見せると、彼女は大きな目で僕と紙片を交互に見た。

「下に行くから、そこ降りて待ってて」

彼女は窓辺を離れて奥に引っ込んだ。言われた通り塀を降りて立っていると、ドアの開く音がして、パジャマ姿のままの百瀬が草履《ぞうり》を履いて出てきた。

「自転車でここまで来たの？」

道端《みちばた》に止めてある自転車を見て彼女は驚いた。

「これ、宮崎先輩の手紙」

「宮崎さんの？」

「きみに渡すよう言われたんだ」

折りたたまれた紙片を僕から受け取って、百瀬はおそるおそる広げた。東の空が白み始めたとはいえ、文字を読むにはまだ薄暗かった。近くに街灯があったので、彼女はその下に移動した。最初のうち食い入るように読んでいた彼女は、やがて震えるような息を吐き出すと、目元をパジャマの袖で拭い始めた。

「散歩しよう」

手紙を折りたたんで百瀬は言った。僕は自転車を押しながら彼女と歩いた。筑後川の土手に出たところで遮《さえぎ》るものはなくなり急に視界が広がった。彼女の家も我が家と同じで筑後川のそばにあった。同じ川の上流と下流でそれぞれ育ったのだと考えると不思議な気持ちになった。

「本当は宮崎さん、私のことがお気に入りだったのよ。手紙には、嘘が書かれてあるけどさ」

土手を歩きながら白瀬は言った。

「宮崎さんと別れることになったから」

「どうして?」

「お互いに好きでも、こういうことってあるの」

宮崎先輩は神林先輩を選んだ。しかし彼が愛していたのは、本当かどうかはわからないが、自分なのだと百瀬は主張する。そうかもしれないと僕も思った。別れ際に振り返ったとき目にした宮崎先輩の影を思い出す。彼の中にどのような感情がうずまいていたのか、僕にはうかがい知れなかった。

「宮崎さんは、これからも演技を続けるんだ……」

百瀬は手紙を握り締めて目を擦《こす》った。

「駄目だな、本当に。まったくさあ……」

見晴らしの良い土手は次第に明るくなっていった。夏を思い起こさせる暑い朝だった。土手の斜面には緑色の草が生い茂っており、気の遠くなるほど広大で長い筑後川は絶え間なく流れていた。演技の終わりを告げる朝は、そうして僕達の間に訪れた。

「三時間もかけて来てくれてありがとう。正直、馬鹿みたいだけど」

しばらく無言で歩いた後、百瀬は立ち止まって言った。僕は首を横に振って、まあいろいろつらいだろうけど元気を出しなよ、と話した。あんたは本当に能天気でいいよねえ、と彼女は毒づいた。僕は手を振って自転車に乗り二十メートルほど進んだ。振り返ると彼女は突っ立ったまま僕の方を見ていた。僕が自転車から降りると、彼女は近づいてきて、やっぱりもう少し一緒に歩こうかと言った。その日は月曜日だったが、僕達は学校を休んで一日中、土手を歩いた。

＊＊＊

暖房の利いた喫茶店で僕は彼女を引きとめた。

「もう少しだけ、話をしませんか？」

「……いいよ」

神林先輩は頷いて席に座り直した。僕達はもう一杯ずつ珈琲を注文して、少しの間、窓から見える天神の雑踏《ざっとう》を眺めた。いつのまにか雪がちらついており、高いビル群の間で白色の粒が舞っていた。

「宮崎先輩、僕と入れ違いで東京に出かけてたんですね」

「あっちの方がいろいろと便利みたい」

神林先輩はお腹を触りながら、疑いようもない幸福な表情で話をした。彼女の夫は今、新しい店舗の件で忙しいらしい。

宮崎先輩の導入したいくつかのアイデアは父親の店を救った。プライベートブランドの開発は中間流通を省《はぶ》いて低価格化を実現させた。コンピューターを使った情報の管理で、彼は客の性別や年齢をリストにまとめ、分析し、適切な商品を店に並べた。八年前、宮崎先輩が手紙を書いたあの夜から、何もかもが変化した。世界情勢までもが彼に味方した。あの夜から数ヶ月が経過したとき、ニューヨークのプラザホテルで米、日、独、仏、英5カ国蔵相が米ドル高を是正《ぜせい》するために協調介入する旨《むね》の声明を出したのだ。これによりドルに対する円の価値が一気に100円程度跳《は》ね上がった。宮崎先輩は、すぐさま父親やその元で経営を手伝っていた何人かを集めて、東南アジアで製品を生産、調達することを提案したという。

海外に生産ラインを構築する？

資金はどうする？

彼にいくつもの疑問が投げかけられた。資金は神林家から出された。彼女と彼の結婚は、現在、双方の家に利益を産み出しつつあった。

「帰ってくるまで寂しいでしょうね」

「大丈夫。毎日、電話してるから」

神林先輩はお腹の膨らみを見ながら話した。子供のように素直《すなお》な物言いは高校生のときから変わっていなかった。大勢の人はまず彼女の外見に魅了されるかもしれないが、僕が本当に好きだったのはその真っ直《す》ぐさだった。演技をやめた後も、僕と神林先輩はよく映画や本のことで話をした。彼女の飾らない言葉の数々は気分を和《なご》ませてくれた。

「瞬君、あなたのことをいつも気にかけてたよ」

「僕を？」

「留年続きだったじゃない」

僕は面目《めんぼく》ない気持ちになりながら、宮崎先輩の選んだ人生について思いをはせた。八年前、もしも彼が神林先輩ではなく百瀬を愛していたのだとしたら、彼はあの夜に、どのような気持ちで手紙を書いたのだろう。

彼は大事な二つのもののうち、どちらか一方を選ばなければならなかった。父親が作り上げた店とは、宮崎先輩の心の中で、どれほど大きな意味を持っていたのだろう。かつて彼は言った。「この店は父さんの人生そのものなんだ」。彼は尊敬する父親の人生を守ったのだ。僕と百瀬は演技をやめた。しかし宮崎先輩の演技は今後も一生、もしかしたら続くのだろう。

いや、違う。宮崎先輩の心の中に神林先輩への愛情がないはずがない。でなければ結婚などするものだろうか。神林先輩と彼女のお腹に宿る新しい生命に愛情を抱かないはずがない。

「それにしても、二人が親になるなんて。人生って不思議ですね」

珈琲のおかわりを飲みながら、僕と神林先輩はまた少しだけ思い出話をした。結婚式の話や、新居の話、僕の近況など話題は尽きなかった。神林先輩と対面に座っても、もはや僕は緊張しなくなっていた。もう僕は自分を卑下《ひげ》することなく、友人として彼女と話すことができた。

「そういえば、『ほおずき市』をやっていましたよね」

タイミングを見計らって僕は聞いてみた。神林先輩はあいかわらずの美しい顔を僕に向けた。

「みんなで遊んだ日のこと？」

「拾ったほおずきをバスの中で宮崎先輩にあげていました」

神林先輩は目を細めて僕を見た。

「先輩、花言葉に詳しかったですよね。ほおずきの花言葉も知っていたんじゃないですか。僕は半年くらい前に知りました。花言葉に詳しい人が大学にいて、偶然にその人から教わったんです」

ほおずきの花言葉は、裏切り、不貞、浮気。僕達四人の中で、一番、演技が上手だったのはだれだろう。神林先輩は笑みを浮かべると、人差し指を唇に当てた。だれにも言わないでよね。その仕草には艶《つや》と色気があり、これまでずっと僕が神林先輩だと認識していた子供のように無垢な女性はいなかった。そのような女性は、最初からどこにも存在しなかったらしい。

神林先輩と別れた後、天神の町を少し歩いて電車に乗った。懐かしい西鉄久留米駅に到着すると、僕は百瀬陽との待ち合わせ場所へ向かった。里帰りする前に彼女と連絡をとって西鉄久留米駅で落ち合うことを決めていた。


最後に少しだけ僕と百瀬のことを書いておこう。

演技をやめた後も、僕達は友人として交流を保っていた。時折、学校の屋上で話をしたし、学食で一緒にうどんをすすった。おまけに彼女は田辺とも親しくなり、三人で行動することさえあった。僕は彼女に好意を抱いていたが、自分のような薄暗い電球がどうこうとその頃はまだ思い悩んでいて、本心を言うことはためらっていた。そのうちに宮崎先輩と神林先輩が卒業して年月が過ぎて僕達は高校三年生となった。田辺は愛知の大学へ、僕は東京の大学へ行くことになったが、百瀬は進学せずに地元で就職活動を始めた。

無事に大学合格を果たして、僕は東京に部屋を借りた。大荷物を携《たずさ》えて新幹線に乗り上京する日、百瀬が博多駅のホームまで僕を見送りに来てくれた。ホームで僕は彼女に、実はずっと好きだったんだと告げた。どうしてこんなタイミングでそんなこと言うのと百瀬は怒り出してそっぽを向いた。百瀬、こっちを向いて。おそるおそる話しかけると、彼女は野良猫のような目で僕を振り返った。

突き抜けろ

中村　航

中村　航（なかむら・こう）
１９６９年岐阜県生まれ。芝浦工業大学工学部卒業。２００２年、『リレキショ』で第39回文藝賞を受賞しデビュー。03年、『夏休み』が芥川賞候補になり、斯界の注目を集める。04年、『ぐるぐるまわるすべり台』で第26回野間文芸新人賞を受賞。その魅力的な文体は、多くの読者を惹きつけている。著書に、『１００回泣くこと』のほか、本作をもとに展開する『絶対、最強の恋のうた』最新作に『あなたがここにいて欲しい』（祥伝社刊）がある。
著者公式サイト
http://www.nakamurakou.com/

僕と彼女は週に三度、電話をかけあう。

今週は月と金に僕が電話をかけ、水に彼女からかかってきた。先週はその逆で、その前はまたその逆。要するに一回交代でかける側《がわ》が替わるということになる。

週末、僕らは週に一度のデートをする。金曜に電話をかけたほうが、行く先や待ち合わせ場所を提案し、たいていは相手に同意する。今週は映画を観に行き、先週は浅草の花やしきに行った。

週に三度の電話と一度のデート以外、僕らはとくに何をするでもなかった。大学で会っても、微笑み合ってあいさつする程度。ゆるやかで淡《あわ》い男女交際を物足りなくも思うけど、いつかこういう交際が生きてくるような気がしていた。幼《おさな》なじみや兄妹のように育《はぐく》んだ関係は、やがて芯となり核となって、この先僕らの間に兆《きざ》すかもしれない危機や困難を溶かしてくれる。本当にそう思っている。

だけどそんなふうに考えるようになったのは、ごく最近のことだ。

最初のころ、僕らの付き合いは今とは全然違う感じだった。大学生になって全体に浮かれていた僕は、彼女ができたことでさらに浮かれ、猛進する男子だった。ずっと一緒にいたかったし、したかったし、全《すべ》ての時間や感情を共有したかった。

僕らは今から会おうよと言っては会い、無理なときにはじゃあ明日会おうと言って会った。それも無理なら明後日に会った。会わない日は、電話を待ったり、待ちきれずにこっちからかけたりした。電話は深夜を越えて早朝まで続き、こんなことなら会えば良かったね、と言って終わった。

二人でいるとき、僕はいつも小さなスイッチのようなものを想像していた。もしもそれを押したなら、僕らは学校も友人も電気料金のお知らせも放りだして、そのままどこかに行ってしまう。そしてもう二度と戻って来ない、そんなスイッチ。

僕と彼女には温度差があったのかもしれないし、なかったのかもしれない。ただ彼女にもやっぱり何かのスイッチが見えていて、それを押さずにはいられなくなって、でも押すわけにはいかなくて、それであんなことを言いだしたのかもしれなかった。

付き合いだして二ヶ月くらい経《た》ったころのことだった。

　僕らはキャンパスの芝生《しばふ》の上にいた。芝生の中央あたりに大きなケヤキの木があり、僕らはそこを日時計と呼んでいた。僕らは日時計で待ち合わせ、一緒に昼食を食べていた。芝生に腰を降ろし、ケヤキにもたれ、生協で買ってきたサンドイッチを食べた。世界でただ一つの特別な昼食に、まぶしい陽光が落ちていた。ポケットの中には小さな幸せがあり、未来は優《やさ》しい風にそよいでいた。そう思っていた。

「もうこんなのはイヤなの」

　サンドイッチを噛《か》みながら、彼女が静かに言った。

　へー、と僕は思った。ケヤキの濃い影が風に揺れていた。そうかイヤなのか、僕はゆっくりと思った。遠く芝生の向こうでは、いろんな青春が、それぞれ小さな群れをなして歩いている。

「こんなふうに付き合うのはね、」

「うん」

「私にはもう無理かもしれない」

　へー、と僕はまた思った。そうか無理なのか、サンドイッチを飲み込みながら思った。腑《ふ》に落ちるものは何もなかった。

　僕らはしばらく黙った。芝生の向こうの学生センターの脇に、バスケットのリングが見えた。

「大野《おおの》君のことが、とても好き」

彼女はゆっくりとしゃべった。一言一言を確認するように、とても慎重《しんちょう》に彼女はしゃべった。多分本当に慎重になっていたんだと思う。

「好きとかいう、不安定で不確定なことを抱《かか》えながら、付き合いを続けることは、私にはとても難しいの。そんなことを抱えながら、毎日、学校に行ったり、レポートを書いたり、アルバイトをしたり、同じ時間に寝るなんてことは、私には無理。もうできない」

彼女はまっすぐバスケットリングを見つめた。

「次はいつ会えるかとか、明日はどうしようとか、どこに行こうかとか、いつ電話がかかってくるかとか、こっちからかけようかとか、今いるかなとか、嫌われたらどうしようとか、そんなことばっかり考えていたら、もうまともに生活できないと思った」

リングの周りでは、三人の男がシュートを繰《く》り返していた。世界にはいろんな青春がある。

「最近は一緒にいても、そんなことばっかり考える」

彼女の言うことは、わかる気もしたし、全然わからない気もした。僕は多分、今までそういうことに夢中になっていたのだ。だけど彼女はそれを、不安定で不確定なものとして、もう無理と言っている。

「それで、どうしたいの？」

「わからない」

芝生の向こうのシューターが、きれいなモーションでシュートを放った。投げた後、だらだらとした動作でボールを取りにいく。

彼女は「わからない」と言ったけれど、既《すで》に決定的な何かを決めているようでもあった。ただ僕と一緒にもう一度そのことを考えてみたい、と言っているように聞こえた。

僕はペットボトル飲料を一口飲んだ。そして間違えちゃいけない、と思った。これから僕が考えることや話すことに、間違いがあっちゃいけないと思った。

「要するに、」と僕は言った。

「僕らはお互い好き合っている。だけどこのまま付き合い続けるのは、とても難しい」

「うん」

彼女は平坦に相槌《あいづち》をうった。

「じゃあ……」

僕は考えた。芝生の向こうのシューターが、大きな笑い声をたてるのが聞こえる。

「全部決めちゃうってのはどうかな？」

「決めるって何を?」

彼女は僕のほうを向いた。

「電話する曜日や時間。それから会う日にち」

「……」

そういうことじゃないの、という顔を彼女はしたけど、僕は構わず続けた。できるだけ落ち着いた声で。できるだけ明瞭に。

「電話は一日おきにするって決めればいい。かける時間も、切る時間もきっちり決めて、交代でかけあうのはどうかな? 会うのは当面、週末だけにすればいい」

「そうすると今度は、もっと会いたくなっちゃうと思う」

「そう思ったら、週に二回会うことに決め直せばいい」

彼女の顔はこっちを見ていた。だけどどこか遠くを眺《なが》めるような目つきだった。

「だめだったら別れればいいし、飽《あ》きたら別れればいい。でも好き合っているんだったら、やり方を変えればいい」

遠くを眺めるようだった彼女の視線が、少しずつ戻ってきた。八m、七m、六m……。

僕は笑顔を作って彼女を待った。ケヤキが風に揺れて、さわさわ音をたてる。

やがて彼女の視線が僕を捉《とら》えた。「そうしてみようよ」と僕は言う。三秒、四秒、五秒、と僕らは見つめ合った。

彼女は、わかった、と小さく言った。それでやってみる。


こうして僕らは、規則正しくゆっくりと歩きはじめた。前に歩いているのか、それともぐるぐる円を描いているだけなのか、あるいは歩いているように見えるだけなのか――。

そのどれでも無いかもしれないし、全てであるかもしれなかった。いずれにしても、付き合いはじめてまだ二ヶ月だった。僕らはまだ歩きはじめたばかりだ。

僕らはそれぞれ大学に通い、アルバイトをした。家では学校の課題をやったり、家事をしたり、お互いのことを考えたりした。決めた時間が来ると、交代に電話をかけあった。

僕らは週末になるとデートをしたけど、スイッチのようなものは、もう見えなかった。

そんな付き合いについて、彼女は最初「なかなかいいね」と感想らしきことを言った。

二週間も経つとそれは「とても快適」とか「凄《すご》くいい」とかに変わった。

僕としては少し物足りない感じがしたのだが、彼女としては「足りないくらいがちょうどいい」らしかった。

梅雨《つゆ》の盛りだった。

小雨降る週末、僕らは水族館でデートをしていた。高いビルの最上階に、その水族館はあった。ウミガメが遊泳する巨大水槽の前で、僕らは足を止めた。

「今のままの付き合いを続けるには、何の問題も無いけどねえ……」

巨大な水槽では、いろんな熱帯魚が彩《いろど》りを競っていた。ナポレオンフィッシュが人工波にたゆたい、底では平らな魚が何かをじっと待ち続けている。小魚の群れは一斉に進行方向を変え、岩には奇妙な触手《しょくしゅ》をもった生物が張り付いていた。

「だけどいまいち発展性がないな。いろいろと、恋人的に」

「そうだね」と、彼女は言った。横顔がちょっと笑っているように見える。

僕らはマンボウの水槽の前に移動した。ゆら～んとマンボウが海洋を漂う。

「全部、決めちゃえばいいのよ」

水槽から目を離さず、彼女は言った。それはどこかで聞いたことのある台詞《せりふ》だった。

「全部って何を？」

「私たちの近い未来。恋人的なこととか」

漂うマンボウに合わせて、僕らは少しずつ右に移動していった。

「一年後にしましょう」

彼女はマンボウを凝視しながら言った。

――一年後にしましょう。

僕の彼女はときどき凄いことを言った。とぼけた顔をしたマンボウが、僕らを何の感慨もなく眺めている。

「一年か……」と、僕は言った。「だけどそれはちょっと先すぎるんじゃないかな？」

「じゃあ半年後に」

――じゃあ半年後に。

僕は素早く指を折った。六月に半年を足すと十二月だった。そうだな、と僕は思った。僕らにはそれくらいがちょうどいいかもしれないな。

「わかった。じゃあ十二月に」

「うん」

マンボウの顔の前には、白色のクラゲがいた。マンボウは無表情にクラゲに近付くと、突然、すぽん、とそれを丸呑みにした。

おおおー、と僕らは声をあげ水槽にへばりついた。ゆらーんとマンボウは海洋を漂う。喰われる側と喰う側の攻防は、全て漂う中にあった。攻防というより、マンボウによるクラゲ回収という感じだ。

僕らはしばらくマンボウを眺め、飽きるとフグの水槽に移った。

「……何だか笑ってるみたい」

正面から見たフグは、確かに口元が笑っているように見えた。

フグは他の魚と違って、水中で静止することができるようだった。代わりに胸びれが超高速で動き、体のバランスを保っている。スポーツでいえばシンクロナイズドスイミング。鳥でいうとハミングバード。

「ねえ、」彼女は僕を見た。「やっぱり彼、笑ってるよ」

小さなフグが胸びれを超高速で振りながら、こっちを見ていた。何が嬉《うれ》しいのか、にんまりと口元が笑っている。

「明らかに笑ってるな」

その小さなフグのことを、僕らはとても気に入った。

二人並んでいつまでも眺め続けた。

彼女と週末にしか会わなくなってから、坂本《さかもと》とつるむ時間が増えた。クラスも同じだから、一緒にいる時間は心ならずも増えてしまうのだ。

坂本は心優しき小太りだった。微妙に要領が悪い男で、彼が傘を持って家を出ると、絶対に雨は降らなかった。実はこいつが天候を支配しているんじゃないか、というくらい降らなかった。坂本はいつも黄色い縁《ふち》のメガネをかけていた。

彼には好きな女の子がいた。同じクラスの飯塚美智子《いいづかみちこ》さんという。

飯塚さんは何かあると、もの凄く恥ずかしそうに笑った。可笑《おか》しくてしょうがないんだけど、恥ずかしくてしょうがない、という笑い方をした。彼女のことを好きだという坂本の気持ちは、僕にもよくわかった。

「いいんだよなあ、飯塚さんは……」

酒を飲むと必ず、坂本は飯塚さんの話をした。天上のお菓子を食らうように、甘ったるい表情をして、でれでれと彼は語った。飯塚さんがどれほど美人であるか、飯塚さんの声がどれくらい素晴らしいか、飯塚さんのスタイルがどれほど悩ましいか、飯塚さんの笑顔がどれほど温かいか。飯塚さん、飯塚さん、飯塚さん、と、坂本の賛辞は果てしなく続いた。

だけど飯塚さんは、正直そんなに美人というわけではなかった。スタイルにしても声にしても笑顔にしても、特別という言葉が似合わない人だった。簡単に言うと普通の人だった。

そのことを言ってみると、坂本はぎょっとした顔になった。

「ど、どういうこと?」

「いや、確かに飯塚さんはいいけど、そんなに特別ってわけじゃないだろ」

坂本はしばらく僕を見つめ、信じられない、という表情をした。

「そんなことないだろ」

下腹に力を込めた発声で坂本は言った。そして二、三度まばたきをした後、メガネのブリッジに手をやった。見つめ合う僕らは、互いに同じ感想を持ち合っていた。信じられない、と。

そんなに好きなんだったら告白してみろよ、と言ったこともある。

「わかってる……」

長い沈黙をわざとらしく挟み、坂本は続けた。

「充分わかってるけど、それはもう少し、俺が飯塚さんに相応《ふさわ》しい男になってからにしようと思う」

ああ、と僕は思った。

仮に飯塚さんが坂本の言うような素晴らしい女性だったとして、それに相応しい坂本とは、どれほど素敵な男なんだろうか。お前は一体、何世紀かけてそんなものになろうというのか……。

坂本はそういうことを、特別なドアの向こうで行う、特別なダンスだと思っている節《ふし》があった。多分坂本は、有りもしないドアの向こう側を想像している。そこでは坂本と飯塚さんが華麗なダンスを踊っている。

だけどそこで踊っているのは、僕らと同じクラスの飯塚さんじゃないし、ましてや坂本でもない。坂本がそんなに軽やかなステップで踊れるわけはないし、飯塚さんだって、きっとそんなダンスを好んではいない。

坂本は優秀な男だった。学校の課題に困って相談すると、理路整然と仕上がったレポートを見せてくれる、優秀な上にいい奴だった。

これだけのレポートを書ける男が、どうして恋愛における客観性を持ち合わせてないのだろうか。彼の恋愛レポートは0点か、甘めに採点しても3点くらいだった。これが噂《うわさ》の『恋は盲目』というやつなんだろうな、と思った。

〜


厚い雲が空を覆《おお》っていた。その日、僕と坂本は日時計の下にいた。

僕は焼きそばパンを食べ、コーヒーを飲んでいた。見上げると、目が眩《くら》むほど光が強い。梅雨空《つゆぞら》の向こうで、日差しが強くなってきたのだ。

かにパンを食べ終えた坂本が、ベビースターラーメンの袋を開けた。僕は右手を差しだし、「くれ」と言った。

坂本は用心深く袋を傾け、一口分のベビースターの山を作ってくれた。以前、袋ごと受け取った僕がそのまま口の中に流し込んだことがあり、以来、ヤツは慎重になったのだ。

ぼり、ぼり、ぼり、と僕らは音をたてた。彼女といるとき特別な場所だった日時計も、坂本といると単に餌場《えさば》という感じだ。

「あのさあ」と、坂本が言った。しばらく時間をおき、また口を開いた。

「もし、お前さえ良ければだけど……」

「何?」

「今日、授業終わってから付き合って欲しいんだよ」

なぜだか言いにくそうに、坂本は言った。

「いいけど、どこに？」

「木戸《きど》さんのアパート」

木戸さん……。坂本は火曜になると、木戸さんとかいう人の部屋に通っているらしかった。特に何をするわけでもなく、二人で鍋を作って酒を飲んでいるらしい。

「木戸さんって、塩ごはんの人だろ？」

「そう。口は悪いけど、結構いい人だよ」

木戸さんは坂本の地元（山形県）の先輩ということだった。パチスロばっかりやって大学にちっとも来ないため、年齢は二つ上だけど同級生になってしまったらしい。坂本は何とか木戸さんに単位を取らせようと、テスト前に資料を持っていったりしているらしかった。そんな木戸さんのエピソードとして、塩をかけたご飯をおかずにご飯を食べる、というのがあった。

「いいよ。行こうぜ」

塩をかけたご飯をおかずにご飯を食べる人なら、会ってもいいかなと思った。

「ホントに？」坂本は嬉しそうな顔をした。「ベビースター食べる？」

坂本がまた僕の右手に橙色《だいだいいろ》の山を作ってくれた。

ぼり、ぼり、ぼり、と僕らは音をたてた。

七月の半ばだった。僕と彼女がゆっくり歩きはじめてから、四十日が過ぎていた。芝生にベビースターが落ち、僕はそれを眺めた。ベビースターは芝生によく映《は》えていた。それは意外なまでにきれいな、緑と橙のコントラストだった。


〜


「横柄《おうへい》な態度をとるけど、根はいい人だから」

木戸さんのアパートに向かう途中、坂本は何度も言った。

僕らはスーパーに寄り、鍋の材料を買っていた。買い物は毎度のことらしく、坂本は迷うことなく、かごに食材を放り込んでいく。白菜、ネギ、春菊、えのきだけ、しいたけ、豆腐、しらたき、鶏肉、魚肉ソーセージ。……魚肉ソーセージ？

最後に坂本は銀色の大きなザルを買った。

スーパーの袋をぶら下げ、僕らは木戸さん宅に向かった。商店街を抜け、陸橋を渡った。トラックの出入りしている運送会社を過ぎ、細い路地を曲がった。

あそこ、と差した坂本の指の遠く先に、古びた工場のようなものがあった。その向こうに大きな木が一本あり、枝の隙間《すきま》から黄土色の壁が見えていた。そこが木戸さんのアパートらしい。

「あのさ」と、坂本は言った。「すごく失礼な感じな人なんだよ」

「わかってるって。だけど根はいい人なんだろ？」

「いや……、実際のところは、それも微妙なんだけど」

葉を生《お》い茂《しげ》らせた木が、アパートの入り口を塞《ふさ》いでいた。木の幹に『コーポ野毛《のげ》』と書かれた札がぶら下がっている。

「ただ決して、悪気があるわけじゃないんだよ」

僕らは順番に木の脇を抜けた。むき出しのガスメーターが、各戸を示すように並んでいる。陽《ひ》に灼《や》けた感じの赤茶色のドアが五つ。その一番奥まで、僕らは歩いていった。

「だからもし、何かあっても許してやって欲しいんだよ」

まじめな顔をして坂本が言うので、僕はわかったとうなずいた。頼むな、と坂本は言い、ドアに向き直った。表札には古いシールの跡があり、鉛筆で小さく×印が書かれている。

坂本はドアをどんどんと叩き、「木戸さん」と言った。「木戸さーん」と、もう一度大声を出し、ドアを叩いた。

「……いないか」

坂本は錆《さ》び付いたポストを無造作《むぞうさ》に開き、中に手を突っ込んだ。くしゃくしゃとした古いチラシの下を探ってカギを取りだし、ドアノブに差し込んだ。

かちゃり、という簡単な音がしてドアが開いた。

「どうぞ」

坂本に誘《いざな》われ、僕は玄関に立った。

全体で四畳か五畳くらいだろうか、六畳はない感じの薄暗い部屋だ。玄関の右に簡単な造りの流しがあり、左にトイレらしき木製の扉がある。壁際には敷《し》きっぱなしの布団《ふとん》。床に置かれたテレビの脇には、酒瓶が十本くらい並べてある。

坂本が僕の横を抜けて、部屋に上がった。部屋の真ん中には小さなちゃぶ台があり、その上に大きな灰皿と、さきイカのようなものを食い散らかしたトレー。床には五、六冊の雑誌が散らばっており、布団の脇には衣服やらタオルやらの山がある。

坂本は買ってきた食材を流しに置き、無言で雑誌を拾い集めた。僕はゆっくりと靴を脱ぐ。

「まあ、くつろいでてくれよ」

坂本は布団を三つに折って壁に寄せ、その隣で散らばっていた衣服を畳み始めた。

「くつろげねえよ」

僕は立ったまま、坂本を眺めた。坂本は少し笑いながら、服を畳み続ける。それが終わると、ちゃぶ台の上のゴミを片付けはじめた。

あらためてこの部屋を見渡してみた。流しの上にある小窓が、この部屋で唯一、採光という役割を果たしている。そこから奥に行けば行くほど部屋は暗くなり、大きな窓に突き当たる。窓のあたりが一番暗い。

「この窓、カーテンが無いんだな」

「必要ないんだよ」

僕は窓に歩み寄り、外を見た。目の前に隣の建物のトタン壁があり、外界を完全に遮断している。光と視界を遮《さえぎ》るために存在するカーテンは、確かにこの窓には必要なかった。

ゴミを捨てた坂本が、ドアを開け放した。

「窓開けてくれるか」

重たい窓を引くと、もやーん、と風が入ってきた。

窓の下を見ると、新しい段ボールが三つ並んでいた。上を覗《のぞ》くと、遠くのほうにスキマの形をした空が見える。

坂本は長い柄のほうきを握り、掃《は》き掃除を始めた。

「なあ」と、僕は言った。「お前、何でそんなことやってるの？」

「しょうがねえんだよ」と、坂本は言った。「まあ、くつろいでてくれよ」

「くつろげねえよ」

坂本は笑いながら、部屋の隅《すみ》から玄関に向け、さっさっ、とほこりを掃きだした。

一体何だって言うのだろうか？　何でこいつはそんな『お母さん』みたいなことをやっているのだろう。だいたい掃き掃除なんて、見るのは久しぶりだ。

掃除を終えた坂本が、今度は流しに立った。大きなアルミ鍋に水を張り、昆布《こんぶ》の切れ端を沈める。それからまな板を取りだし、白菜を切りはじめた。

「……手伝おうか？」

「いや、狭いからいいよ」

流しに換気扇《かんきせん》は無く、その代わりに小窓が開けられていた。ガスコンロは一口しか無いタイプのものだ。確かにその狭い流しでは、手伝いのしようがない。

坂本の背中を、僕は眺め続けた。

「これが欲しかったんだよな」

鼻歌を歌う感じに坂本は言った。さっきスーパーで買ってきた銀色のザルに、切った白菜を放り込んでいく。よく見ると、包丁やまな板も新しいものだ。

「もしかして包丁とかも、お前が揃えたの？」

「そうだよ」

何でもないふうに坂本は言った。

とん、とん、とん、と軽快な音をたてながら、坂本は材料を切る。ネギ、春菊、えのきだけ、しいたけ。下処理を済ませた食材が、次々とザルに盛られていく。最後にしらたきが適量つままれ、くるんと器用に結ばれた。一体何だって言うのだろう？

鍋の準備が済むと、洗い物が始まった。僕はちゃぶ台の前に座り、坂本を待った。

「早く帰って来ないかな、木戸さん」

洗い物を終えた坂本が、部屋の電気をつけた。ぱっ、ぱっ、と蛍光灯がまたたき、じー、と変な音が鳴った。部屋は少しだけ明るくなった。

「なんだかな……」

僕は坂本を見つめた。彼はなぜだか嬉しそうな顔をして、斜め横で正座をしている。することがなかったので、テレビの電源をつけようとした。

「ごめん」と、坂本は言った。「それ映らないんだよ」

映らないテレビ——。それは水の入っていないプールや、開かない傘と同義で、暗い窓や、届かない夢の仲間だった。そのことについて何か言おうと思ったがやめた。突っ込みどころなら他にいくらでもあるのだ。

僕らはしばらく黙った。何もすることがなかった。昼に焼きそばパンを食べたきりだったから、腹が減っていた。

「もう鍋、始めちゃおうか」と、僕は言った。

「だめだよ」

きっぱりとした口調で坂本は言った。毅然《きぜん》とした態度だった。

「腹が減ったんだよ」と、僕は言った。「義理とか人情とかも大切だけど、目の前の食い物は最優先事項だと思うんだよな」

「だめ、絶対」

坂本のメガネの奥の細い目が、きりっと光った。

何だその目は、と僕は思った。もう少し待つのは別に良かったが、こいつの固い頭は要改善だ。

「馬鹿だなお前は。今から鍋を作れば、案外、出来上がったころに帰ってくるもんなんだよ。物事ってのはそういうふうに流れていくんだよ。腹を空《す》かせて待ったら、帰って来るものも来なくなっちゃうだろうが」

「そんなわけないだろ。めちゃくちゃ言うなよ」

坂本が横目で僕を睨《にら》んだ。

「お前は案外、木戸さんのことをわかってないんだな」

僕は諭すように言った。

「こういう部屋に住んでいるような人は、その辺の野性の勘《かん》はきっちり働くもんなんだよ。いいタイミングで帰ってくるはずなんだよ」

坂本は、はっとした顔になった。そう言えば、と言いたげな表情だった。

「このまま待つってことは、実は木戸さんのことを馬鹿にしてるってことになるんだぜ。木戸さんはそんなしょっぱい人じゃないだろ?」

坂本は何ごとかを考え続ける。

「こういう部屋に住んでいる人は、食い物関係のことだけは強いんだよ。信じようぜ」

坂本はメガネのブリッジに手をやり、静かに「わかった」と言った。

しかし結局、鍋が完成しても、木戸さんは帰ってこなかった。

コンロの火を止めた坂本が、そら見たことか、という顔をした。

「ひとまず運んじゃおうよ」と、僕は明るく言った。

ちゃぶ台の上に皿や箸《はし》やコップを並べ、真ん中に古雑誌を置いた。慎重に運んだ鍋を、そこに載《の》せる。

「先にできちゃったな」

ぶ然とした表情の坂本に、僕は笑顔で対抗した。

「ひとまずさ、豆腐かなんか食べてれば、ひょっこり帰ってくると思うな、俺は」

「そんなのはわからない」と、坂本は暗い声を出した。

「だけどこうなったらもう、食べるしかない」

「そうだよな、しょうがないよ。まあちょっとだけ先に始めさせてもらおうよ」

僕は素早く鍋の蓋《ふた》を取った。湯気と一緒にいい匂いが漂う。

「おおー」満面の笑顔を僕は作った。「めちゃめちゃ旨《うま》そうだな」

何度か落としたらべこべこに変形しそうなアルミ鍋だったけど、中身は上等だった。小集団をなす具材が、それぞれの旨さを熱く主張している。彩りもいい。

考えてみたら、鍋なんて久しぶりだった。僕は豆腐をおたまですくい、取り皿に取る。ふうふうと吹きながら口に運ぶ。

豆腐のかけらは、始まりに相応しい熱さで胸に落ちた。ちゃぶ台の向こうでは、坂本がメガネを曇《くも》らせながら魚肉ソーセージを食べている。

「ところでさ」と、僕は言った。「何で魚肉ソーセージなの？」

「結構いいダシが出るんだよ」

「本当かよ？」

「本当だって」

ようやく笑顔に戻った坂本が、テレビの裏に手を伸ばし、ターキーのボトルを出した。瓶にはマジックで「さかもと」と書いてある。この部屋には間違い探しみたいに、おかしなところがたくさんあった。

僕らはターキーを注《そそ》ぎ合い、ちびりと飲んだ。染《し》みるねえ、と言い合いまた鍋をつついた。汗をかきながら、ふうふうやっていると、突然、木戸さんが戻ってきた。

「お、」

木戸さんは、初めて会う僕にではなく、鍋に対して言った。

「おじゃましてます」急に緊張しながら僕は言った。

「ああ」と木戸さんは簡単に言い、まっすぐ歩いてきた。座ると同時に鍋に箸を伸ばし、鶏肉を食べはじめた。

「うめえな、これ」

木戸さんは「鶏肉、鶏肉」と言い、また鍋の中を探った。

「うめえよ、これ」

木戸さんはまた大きな声を出した。

「大野といいます。初めまして」と、僕は言った。

「おう。坂本に聞いてるよ。うめえな、これ」

木戸さんは立ち上がり、窓際まで歩いていった。窓から身を乗りだすようにして手を伸ばし、下をまさぐった。戻ってきた木戸さんの手には、ウィスキーのボトルがあった。

「ウェルカムだよ。大野君」

木戸さんは僕の肩を叩いて笑った。そしてまた鍋に向き直り、「鶏肉、鶏肉」と言った。

坂本が嬉しそうな顔をして、僕らを見ている。

「木戸さん」と、僕は言った。「もしかして窓の下の段ボールって、全部酒なんですか?」

「おう」木戸さんはウィスキーをコップに注いだ。

「おかげで酒に関してはしばらく安泰《あんたい》だな」

「あんなにたくさんどうしたんですか?」

「それはまあ、訊かないでくれ」

木戸さんがそう言うと、隣で坂本がそっと目を伏せた。どうやらそれ以上追及するのは、やめたほうが良さそうだった。

「まあ、あれだ」と木戸さんは言った。「もう二度としないから心配するなってことだ」

　木戸さんはウィスキーを、くいっとあおった。

「一度くらいはそういうこともありますよね」

　僕もターキーをくいっと飲んだ。

「何を勝手に察してやがる」

　木戸さんはまたウィスキーを、くいっとやった。

「法律のこともありますけど、坂本を悲しませるようなことは、するべきではないです」

　僕はまたターキーを飲んだ。

「お前……」と木戸さんは言った。「なかなかいいことを言うじゃねえか」

「白菜も旨いですよ」

　遮るように、坂本が大きな声を出した。

「おお」と、木戸さんはおたまを手に取る。だけどすくい上げたのは、また鶏肉だった。

　横柄な態度をとるけど根はいい人は、全体に肉ばかりを食べた。反対に心優しき小太りは、魚肉ソーセージばかりを食べる（遠慮してというわけではなく、本当に好きみたいだった）。

　そして二人は驚くほど酒をよく飲んだ。僕らは割とどうでもいい話をしながら、鍋をつつき、酒を飲んだ。

木戸さんは明らかに難人物のオーラを放っていたが、基本的にシンプルで気のいい人に思えた(後で坂本に聞いたところによると、それは食べ物と酒があるから、だそうだ)。

鍋があらかた空になるころには、三人ともいい具合に酔っぱらっていた。

坂本はここでも飯塚さんの話を始めていた。今日、飯塚さんと話したんですよー、などと、彼は僕にではなく木戸さんに聞いて欲しそうにしゃべった。聞いているのかいないのか、木戸さんは、ぷはー、と煙草をふかした。

「お前には彼女がいるのか?」と、木戸さんが僕に訊いた。

「ええ、います」

「なに?」木戸さんは横目で僕を見た。

「彼女がいるのに、こんなとこに来てていいのか?」

僕は説明した。僕らは週に三回電話をかけあって、週末に会うのだと。そういうことに決めたのだと。

木戸さんは黙ったまま、煙草を吸った。

「お前、単純な興味として訊くけど、いいか?」

「ええ」

木戸さんは煙草の火を消し、僕に向き直った。

「週末に会うとか、そういうことに決めたとか、そんなもんが恋なのか？」

「ええ、恋です」

「……そうか」と木戸さんは言って、僕から目を離した。

「俺にはわからねぇけど、いろんな恋があるんだろうな」

木戸さんはもうそれ以上興味無さそうにウィスキーを飲んだ。隣では坂本による、果てることなき飯塚さん賛美が続いていた。

「木戸さん」と、僕は問うた。坂本にも聞こえるよう、大きな声を出した。

「義理とか人情とかも大切ですけど、目の前の食い物は最優先事項ですよね？」

「何言ってんだよ」と、木戸さんは言った。「そんなのは当たり前だろ」

そら見たことかという表情を、今度は僕が坂本に向けてした。

坂本は驚いた顔をして僕を見つめた。新しい概念に気付いた善良な使徒《しと》のようだった。


次の週の火曜日、僕らはまた木戸さんの家に行った。何故だか、その次の週も行った。

スーパーで鍋の材料を買ったあと、坂本に訊いてみた。

「お前さ、何でそんなに木戸さんに親切にしてんの？」

「地元で、さんざん世話になったんだよ」

木戸さんの家は駅からもスーパーからも遠かった。歩く道からは、丸い夕日が見えた。

「昔は格好良い人だったんだけどなあ。金も持ってたし……」

坂本は遠くを見る表情になった。僕らはスーパーの袋をぶら下げ、陸橋を渡った。

「だけど俺はさ、」

陸橋の真ん中あたりで、坂本は言った。

「あの人がいたおかげで、苛《いじ》められなかったんだよ」

夕日が照って、坂本のメガネが白く光った。陸橋の下を銀色の電車が通り過ぎていく。

昔は格好良かったという木戸さんは、僕らがいようがいまいが、いたってマイペースに振る舞った。寝たり起きたり、大声を出したり、毒づいたり、号令をかけたり、急激にテンションを上げたり、じっと何かを考え込んだり、ということをランダムにした。

全体に本能という言葉が似合う人だった。妙にセンチメンタルなことを言うときもあったし、よくわからない主張を腹に力を込めて放つこともあった。

木戸さんは何かあると、すぐ説教を始めた。

あるとき恋に悩む坂本に、「お前、学生の本分は何なんだよ」と説教しはじめたのには、恐れ入ってしまった。それだけは、あんただけには、言われたくない（だけど言われた坂本は、帰り道にしみじみと「俺はもっと真剣に勉強しなきゃなあ」とつぶやいたりする）。

坂本は木戸さんのために、かいがいしく鍋を作った。

鶏肉がメインのときには魚肉ソーセージが入り、豚肉がメインのときは餃子《ぎょうざ》が入った。そういうことにしているようだった。豚肉と餃子の組み合わせには、僕も異論はなかった。

「鍋はいいよなあ」

木戸さんは鍋を目の前にしたときだけ、優しい声を出した。

「鍋ってのは、最強の調理法だな、おい」

木戸さんに鍋を褒《ほ》められると、坂本はとても嬉しそうにした。

鶏肉がメインのときには「鶏肉、鶏肉」と言いながら、豚肉がメインのときは「豚肉、豚肉」と言いながら、どっちにしても木戸さんは肉ばかりを食べた。

「木戸さん！」僕は時に声を上げた。「それは俺の肉ですよ」

「うるせえ」と、木戸さんは吠《ほ》える。「肉にキープなんかねえって言ってんだろ」

肉にキープなし――。木戸さんの主張には、いつも妙な説得力があった。

何もないその部屋だったが、酒だけは窓の下にたくさんあった。木戸さんの酒量も大したものだったが、坂本はもっと凄かった。彼は最初から最後まで、全くペースを変えず、淡々と飲み続けた。僕らがさんざん酔っぱらって、もう飲めねえやあ、となっても一人で飲み続けた。そして飯塚さんの話を始めるのだった。

「またミッチーの話かよ。進歩のねえ野郎だな」

木戸さんは飯塚美智子さんのことを、ミッチーと言った。

「まあ、いいじゃないですか。聞いてくださいよ」

まどろむ寸前の僕らに向かって、坂本はとうとうと飯塚さんを賛美した。回る意識の中でそれを聞いていると、本当に飯塚さんが天使のように思えた。

「でもね、最近飯塚さん冷たいんですよ。ねえ、聞いてくださいよー、木戸さーん」

「うるせえな。聞いてるよ」

木戸さんは肘《ひじ》を立てて、寝転がっている。

「今日だって、坂本君はいいよねー、私は出席しないとダメだからー、なんて言うんですよお」

坂本はいつまでも一人でしゃべり続けた。

「おい、ほら」

木戸さんは寝転がったまま、足の先で坂本をつついた。

「俺をミッチーだと思って抱きついてみろ」

「何言ってるんですか。思えるわけないじゃないですか」

木戸さんはゆっくりと立ち上がり、がばり、と坂本を背後からの絞《し》め技に捉えた。

「ほら、ミッチーだぞお」

「やん、やめてくださいよー」

やん、じゃねえだろうが、と僕も坂本に蹴りを入れた。ぎゃあぎゃあとじゃれ合う二人をみて、微笑ましく思えるのは、単に僕も酔っているからだった。さんざん飲んでいると、もう帰ったりするのも面倒くさくなって、三人で寝床を奪い合うようにして寝た。

「木戸さん」あるとき僕は訊いてみた。

「何で俺たち、木戸さんに敬語を使っているんですかね？」

「ん？　何でなんだ？」

木戸さんは質問に質問を返した。

「だけどまあ、いいんじゃねえのか。大した敬意を持てないときこそ、礼儀ってやつが便利だろ。そういう関係の中からしか出てこない言葉とかもあるだろうしな」

そう言ったあと木戸さんは、じっと何かを考えた。

「考えてみれば礼儀ってのは凄くいいな。世界三大美徳のひとつには入るだろうな」

木戸さんのよくわからない主張には、いつも妙な説得力があった。


前期の試験が終わり、キャンパスは夏休みに入っていた。

彼女は親類の会社の経理を手伝いはじめたらしかった。僕と彼女は、今までと同じように週末に会った。混み合う行楽地は避け、買い物や映画によく行った。

僕と坂本は、引っ越しの短期アルバイトを始めていた。電車に乗って事務所まで行き、そこから別々のトラックに乗って、見知らぬ場所へ行った。見知らぬ場所から見知らぬ場所へ荷物を運ぶと、見知らぬ誰かがご祝儀《しゅうぎ》をくれることもあった。

火曜日になると、僕らは仕事上がりに事務所で待ち合わせた。そしてそのまま木戸さんの家に行った。結局あのとき以来、毎週、木戸さんの家に行っていた。

僕は週が明けると、木戸さんはどうしてるかな、と考えるようになっていた。そして火曜になると、特に行きたいわけでもないのに、坂本と連れだって木戸さんの家に行った。もしかしたら僕は、坂本にハメられたのかもしれなかった。

木戸さんの家には扇風機しかなかった。だけど窓を全開にして、最大風力で扇風機を回せば、案外何とかなるものだった（あとは蚊《か》取り線香《せんこう》を焚《た》いておけばいい）。僕らはだらだら汗をかきながら、鍋を食べ酒を飲んだ。ときどき三人で連れだって、銭湯にも行った。

ある日のことだ。ふと思いついたように、木戸さんが言った。

「ところでよ、ミッチーってのは、どんな女なんだ？」

豚肉をメインにした鍋が、まだ半分以上残っていた。

「どんなって、割と普通の人ですよ」

と、僕は言った。

「そんなことないだろ」

下腹に力を込めた発声で、坂本が怒鳴った。

木戸さんは箸を置き、「おい」と言った。「ミッチーの写真を見せろ」

「馬鹿だなあ、木戸さん」と、僕は言った。

「写真なんか持ってるわけないじゃないですか。なあ？」

坂本はじっと黙っていた。

「まさかお前、持ってんの？」

坂本は黙り続けた。どうやら持っているらしかった。

「……ちょっとだけですよ」

と坂本は言い、財布から写真を取りだした。

パウチされてブロマイドのようになった写真の中で、飯塚さんが体を捻《ひね》るようにして笑いをこらえていた。木戸さんは真剣な表情でそれを見つめた。心配そうな顔をして、坂本がそれを見守る。

「そうか……」

写真から目を離した木戸さんは、ため息をつくようにして言った。

「やるじゃねえか、坂本」

しばらくして木戸さんは言った。「ミッチーは凄くいいな。もの凄くいいぞ」

坂本が照れたように口元をゆがませた。

「俺は断然、坂本を応援するぞ」

木戸さんは何かに深く感じ入ったのか、そのあと黙ってしまった。どうやら飯塚さんの何かが、木戸さんの琴線《きんせん》に触《ふ》れたようだった。飯塚さんは東北出身者に等しく響くらしい。

木戸さんが深く感じ入っている間に、僕はたくさん肉を食べた。

九月になった。

週末に彼女と会い、火曜に木戸さんの家に行く。そんな生活がどこへ向かうでもなく続いていた。

この前の土曜日は彼女の提案で横浜《よこはま》に行ったから、と月曜日の僕は考えた。今日は僕が電話をする番だ、と時刻を確認する。

電話に出た彼女は、ふふふふ、とまずは笑った。時間通りにかかってくる電話が、秘密めいていて可笑しいらしかった。笑って心を和《なご》ませたあと、僕らはどこに繋《つな》がるでもない話を交わした。

彼女が猫に嚙まれて口内炎になったこと。猫に悪気はないということ。チワワとダックスフントを掛け合わせたチワックスというものがいるらしいこと。チワックスは長いチワワというより、短いダックスフントに近いということ。それじゃああまり意味がないよね、ということ。

電話はだいたい二十分くらいで切った。

クーラーの効《き》いた部屋で、僕はカレンダーを眺めた。十二月まで、あと三ヶ月だった。僕らは三ヶ月後にそういうことをするんだ、と思った。

昔の彼女と初めてそうなったときのことを、僕は思いだしていた。

そうなる前、頭と体は激しくその先を求めていた。その先に進みたい、というのは全くおかしな気持ちだった。

だけどなぜだろう？　したかったのに、そうなるために細かい計算をいっぱいしたのに、そのとき頭は奇妙に醒《さ》めていた。その先って何だろう、そんなことを考えていた。動いている自分も、応えている彼女も、他人みたいだった。いつかこういうことも自然な営みに変わるのだろうか？　そんなことを考えていた。

終わったあと、何だか不思議だと彼女は言った。

僕はそのときの、彼女の抱き心地の良さに感動していた。綿毛のように軽く、マシュマロのように安らかだった。僕は一番優しい気持ちになれたと思った。

その彼女とは一年付き合って別れた。今どこで何をしているんだろうな、と少し考えた。

夏休みが終わり、後期の授業が始まった。

休み明けのざわついた教室に、カップルが三組増えていた。普通のカップルが一組に、バカップルが二組だった。彼らはそれぞれ有意義な夏を過ごしたようだった。

坂本は全然気付いていなかったけど、飯塚さんにも、誰かと付き合いはじめた雰囲気があった。もしそれが本当だったら、少し残念な気がした。坂本と飯塚さんだって、普通に並べばお似合いのカップルかもしれないのだ。

だけどしょうがねえよ坂本、と思った。僕らは休みの間に、三十六軒の引っ越しを手伝ったのだ。結婚、出産、引っ越し。そういう世界三大転機のひとつに、三十六件も関わっていたのだ。その間に新しい恋の一つや二つは、簡単に育ってしまうだろう。それはしょうがねえよ、坂本……。

僕は相変わらず週末に彼女と会い、火曜になると木戸さんの家に行った。蚊取り線香も扇風機も、そろそろ必要なくなってきていた。

木戸さんといると、腹が捩《よじ》れるほど可笑しいことがあった。

彼女といると、淡くどきどきしたりすることがあった。

小さな何かが、ぽーん、と音叉《おんさ》を鳴らすように僕の心に響き、やがて減衰して消えていった。もう消えたかな、と思って耳をすますと、かすかに聴こえていたりした。そんなときは、嬉しくなって日記をつけたくなった。

僕は今、何の途中にいるのだろう、と思っていた。

僕は今、どんな途中にいるのだろう、と思っていた。


〜


夏の余韻は徐々に消え、季節は秋になった。

飯塚さんに関する小さな懸念《けねん》は少しずつ疑念に変わり、やがて僕の中で確信に近くなった。坂本はまだ気付いていなかったが、もう隠せるものでもなかった。

やがて坂本の中でも疑念が芽生《めば》えたとき、僕は「どう思う?」と質問を受けた。

「本当のことはわからない」と、僕は坂本をまっすぐに見て言った。

「だけどその可能性は高いと思う」

坂本はじっと僕を見たあと、「そうか、やはりな」と、おかしな言い回しで言った。

その後、坂本はいろいろなところから情報を集めたらしい。そして僕と同じ結論に到ったようだった。飯塚さんは誰かと付き合っている。

もっと混乱したり、泣き言を言ったりするのかと思ったけど、坂本は冷静に振る舞った。その姿は気丈《きじょう》と言っても良かった。彼はいつもと同じように授業を受け、いつもと同じように飯塚さんとも挨拶を交わし、いつもと同じようにベビースターラーメンを食べた。彼がどのようにその事実を受け入れたのかはわからない。ただメガネの奥の優しい目は、いつもと何も変わらないように見えた。

火曜になり、僕らは木戸さんのアパートに向かった。

スーパーで食材を買い、二人並んで木戸邸への道を進んだ。

「今日の鍋は俺が作ろうかな」と、僕は言った。

「いや」と、坂本はきっぱり言う。「鍋は俺が作る」

陸橋の上から、夕日は見えなかった。もう日が短くなってきたのだ。僕らは黙ったまま、その橋を渡った。

木戸邸に着くと、坂本はいつものように鍋を作った。いつものように三人で鍋を囲み、いつものように酒盛りをした。

木戸さんは肉ばかりを食べ、坂本はやっぱり魚肉ソーセージを好んで食べた。鍋の中身は減り、同時に酒も進んだ。少しだけ坂本のペースが速かったかもしれないけど、表面上は、いつもと同じ鍋だった。だけど良い具合に酔っぱらって、もうそろそろ飲めないやとなったころ、それは起こった。

「木戸さん」と、坂本は言った。言ったきり、黙った。背面に深刻な雰囲気が、漂っていた。

ついに来たか、と僕は静かに思った。坂本はそのまましばらく何もしゃべらなかった。肘をついて寝転がっていた木戸さんがゆっくりと起きあがった。カキン、とジッポを鳴らして煙草に火をつけ、ぷはー、と煙を吐く。

「何だよ」と、木戸さんは言った。

坂本はなかなか口を開かなかった。木戸さんは、とんとん、と灰を落とし、煙を吐き続けた。

「……実はですね」うつむきながら坂本は言う。「飯塚さんに彼氏ができちゃったんです」

木戸さんは煙草を灰皿に押し付け、ゆっくりと火を消した。

「どんな野郎だ」木戸さんは厳しい声を出した。

「長澤《ながさわ》さんって人です」

「誰だ、それは」

データ派の坂本は、その男についての説明を始めた。男の名は長澤一徳《いっとく》。経済学部で僕らより一学年上。静岡出身。身長は１７５㎝くらいで、体重は60㎏くらい。少し天然パーマで茶髪。ヨット部の副部長をしているらしかった。

「ヨット部だと？」木戸さんは坂本の解説を遮った。「ヨットってあのヨットか？」

坂本がうなずくと、木戸さんは沸々《ふつふつ》と怒りを燃やしはじめた。ふざけやがって、と木戸さんは唸《うな》り声をあげた。どうやらヨットという概念が、木戸さんの何かと激しくかち合うらしかった。

「ヨット野郎なんかに、ミッチーの良さがわかるわけねえだろうが」

木戸さんは僕を睨んだ。

「違うか？　そうだろうが」

「……ええ」と、僕は言った。

「おい」木戸さんは坂本に向き直った。「俺は認めねえ。断じて認めねえぞ」

木戸さんと坂本は、しばらくの間睨み合った。坂本がメガネの隙間から、目をこすった。

「そんなもんが、認められるわけはねえ」

坂本はこらえきれなくなったか、膝に顔をうずめてしまった。木戸さんはしばらくそれを眺めていたが、やがて目をそらし、また煙草を手にとった。

カキン、と音がして、煙草の火がついた。乳白色の濃い煙が、天井に向かって、ゆらゆらと立ち昇っていく。木戸さんは視線を煙の先に据《す》え、じっと何かを考えていた。

「……まあ、飲みましょうよ」

僕は木戸さんに酒をすすめた。が、全く反応しない。

「坂本も飲もうぜ」

僕は坂本の肩を叩いた。

「飲んで忘れちまおうぜ」

ゆっくり顔を上げた坂本が、こくん、とうなずいた。

「木戸さんも飲んでくださいよ」

木戸さんはまっすぐ前を見たまま、ウィスキーをぐいっとあおった。

僕らはその後、なんだか義務みたいに飲み続けた。

木戸さんはずっと黙ったままだったし、坂本も殆《ほとん》どしゃべらなかった。僕だけが、まだまだこれからだよ、とか、世界の半分は女なんだからさ、とか、そんな言っても言わなくてもどっちでもいいことを馬鹿みたいに繰り返した。

僕の発しているものは、単なる音だった。だけど音を出し続けるのが、そのときの僕に唯一できることだった。星の数ほど女性はいるとか、坂本の良さをわかってくれる人がきっと現れるとか、これからは東北メガネ男子が熱いとか、そんな無意味な音を、僕は発し続けた。誰かがちゃんとした言葉を吐くか、あるいはもう寝てしまうか、そのときが来るまで僕は音を発し続けなければならないと思っていた。

だけど、限界は近づいていた。僕の音は次第に力を弱め、フェードアウトしていった。もういいや、ウィスキーを飲み、確認するように思った。僕はよく頑張《がんば》った。もういい。

僕はゆっくりと口を閉ざした。

しーん。

部屋は簡単に静かになってしまった。音の消えた部屋を、時間だけが支配した。

三人の男はそれぞれ違う方向を向きながら、ウィスキーを口に運んだ。木戸さんはときどき煙草を吸い、坂本はときどき溜め息をついた。

だけど沈黙は思ったよりも不快ではなかった。不安でも不快でもなかった。そうだった、と僕は思いだした。地球の夜にはもともと、音なんか無かったのだ。

……。

……。

……。

——おい。

木戸さんの声が夜の底に響いた。その声はれっきとした言葉だった。力強い精神を含んだ木戸さんの言葉が、くっきりとした輪郭で、おい、とこの夜に響いた。

「お前はこれからどうするつもりなんだ?」

木戸さんは坂本に向かって、言葉を放った。

「どうするって、どうしようもないじゃないですか」

「そんなことはねえ」

「……」

坂本は無言で木戸さんを見つめた。木戸さんは手を後ろについて、遠くを眺めている。

「やっちまうか」

木戸さんはつぶやくように言ったあと、坂本を見据えた。

「何をですか?」

「だからだ。そのヨットマンを、ぼこぼこにやっちまうんだよ」

「できるわけないじゃないですか」坂本は泣きそうな声を上げた。

「決めつけんじゃねえよ。さわやかにやっちまえばいいんだ」

「そんなのはメチャメチャですよ」

「違う」と、木戸さんは吠えた。

「どうしても納得できねえんだったら、殴《なぐ》っちまうのも一つの方法だろうが」

「僕にはできません」

「馬鹿野郎！」と、木戸さんは怒鳴った。「お前は良い悪いだけで、これからもずっとやってくつもりなんか？　そんなに悪者になるのが嫌なんか？」

「だって」

「坂本」と、僕は声を出した。僕はようやく言葉を放ったと思った。

「それはいいかもしれねえぞ」

坂本は驚きの表情で僕を見た。そのときの僕には、木戸さんの主張がとても真っ当に思えていたのだ。

「木戸さん」と、僕は言った。「三人でやっちまいましょう」

「おう」木戸さんは、にやり、と笑った。

「さわやかにやっちまうぞ」

「いいですね。ぼこぼこにしちゃいましょう。ほら、坂本はまだ飲めるだろう。飲めよ」

坂本は僕に疑いの表情を向けながら、ウィスキーを飲んだ。

「だいたい、何がコットだって話ですよね」

「その通りだ。どう考えてもヨットだけは許せねえ」

「ぼっこぼこにして、帆に磔《はりつけ》にしてやりましょう。なあ、坂本もやるだろ?」

「……俺は別にヨットに恨《うら》みはないよ」

「何言ってんだ」と、木戸さんは大声を出した。

「だいたい、そんなマッチョな野郎にミッチーの良さがわかるわけねえだろうが」

坂本はぐびり、とウィスキーをあおった。それは俺もそう思います、と小さく唸った。

「だけど木戸さん」と、僕は言った。

「奴は俺らより、明らかにフィジカルが強いですよ。体育会ですからね」

「お前はサルか? 人間様はな、道具を使うんだよ」

「道具ですか」

「そうだ。いいか、覚えておけ。どんな筋肉だろうが、棒には敵《かな》わねえんだよ」

「覚えておきます」僕は木戸さんにウィスキーを注いだ。

僕らは、そこからまだまだ飲み続けた。僕と木戸さんは、どうやってそのヨットマンをしばきあげるかを話し合い続けた。

坂本はそれを聞きながら一人で飲み、ときどきぶつぶつと独り言を言った。そして次第に「お前もやるだろ?」という問いに、うなずくようになった。

痺《しび》れるような酔いと、立ち込める煙の中、僕らにはそれが正当な考えに思えていたのだ。もしかしたらそれは、本当に真っ当な考えなのかもしれなかった。考え方としてはシンプルで、さわやかなのかもしれなかった。

〜


次の日、目覚めるともう昼を過ぎていた。

起きた者から順番に流しに行き、顔を洗った。

僕は昨晩の鍋の残りを火にかけ、朝食用に買っておいたうどんを煮た。坂本が昨夜の後片付けを始め、木戸さんは窓を開けた。

簡単に味付けをして完成したうどんを、僕はちゃぶ台に運んだ。

三人は無言でうどんを啜《すす》った。よくダシを吸ったうどんが、空っぽの腹に熱く落ちた。いつもながら鍋の後のうどんは美味《おい》しかった。晴れのち曇り。鍋のちうどん。ほどなくして鍋は空になった。木戸さんが煙草に火をつけ、煙を吐いた。僕らはそれぞれの体勢で、腹をこなした。

外は晴れていた。日の差さないこの部屋からもわかるくらいに、良い天気だった。水曜、と確認するように僕は思った。今日の夜は、彼女から電話がかかってくる番だ。

やがて木戸さんは、煙草を灰皿に押しつけた。長い時間をかけて、木戸さんは煙草の火を消した。そして、行くぞ、と言った。

「どこに？」と、僕は訊いた。

「殴りに」と、木戸さんは当たり前のように応えた。

木戸さんはさっさと身支度を整え、トイレに入った。戻ってきて、「お前らも便所には行っとけ」と言った。こんなときだけ、木戸さんの動きは機敏だった。

僕と坂本は順番にトイレに入った。出てくると、木戸さんが玄関で待っていた。僕らはぞろぞろと外に出た。

空には一点の雲もなく、気持ち良く晴れ渡っていた。こんな気持ちの良い日に、僕らはヨットマンを殴りに行く。

——木戸さん、僕、坂本。

RPGのパーティーのように、僕らは一列になって進んだ。先頭を行く木戸さんも、後ろを守る坂本も、何もしゃべらなかった。僕らはただ黙って行進した。

途中、木戸さんはゴミ捨て場に立てかけてあった材木を手に取った。ぶるんぶるんとそれを振り、だめだ、と言ってまた元の場所に放った。からん、と音が鳴ってそれは倒れる。

　本当は昨晩の時点でわかっていたことだった。木戸さんは本気だと。本気でやる人だと。そして僕や坂本には、そんな度胸も資質もないということを。

　坂本の失恋に本気で言葉を放ち、相手を殴ろうなどと考える木戸さん。そんな木戸さんに、僕は昨晩、痺れたのだ。だからそのとき、僕は本気でヨット野郎を殴ろうと思った。僕ら三人は、それをするべきだと思っていた。

　だけど木戸さん、と僕は思った。もう夜は終わって朝になったんだ。当たり前だけど、そんなことは本当にやっちゃいけない。くだらない理由ならいくらでも言えた。飯塚さんの気持ちもそうだし、第一、ヨットマンは何も悪くない。坂本だって後悔するだろう。それより何より、こんなことは犯罪だ。

　多分、木戸さんは全て飲み込んでいるのだろう。だからこそ、昨晩の木戸さんには価値があった。僕や坂木が本気になったことや、今こうして行進していること。それは木戸さんが生み出した価値だった。だからもう、と僕は思った。もう充分だよ、木戸さん。

　駅への近道をしようと、児童公園のようなところを横切っている最中だった。「木戸さん」と僕は言い、足を止めた。

「すいません。もうやめましょう。本当にすいません」

僕は頭を下げた。

「何だそれは？」

ゆっくりと木戸さんが振り返った。

「すいません。これ以上は、やっぱり行けません」

「……そうか」低い声で木戸さんは言った。「わかった。お前は降りるんだな」

木戸さんはゆっくり息を吐いたあと、坂本に視線を移した。

「お前はどうなんだ？」

「俺もやめたほうがいいと思います」坂本は小さな声で言った。

「……そうか」

木戸さんは煙草の箱を取りだして、へりをとんとんとやった。

「降りたいんだったら勝手に降りろ。俺は一人でも行く」

「すいません」と、僕は言った。「それもさせられません」

「なんだと？」

木戸さんは手を止めて、僕を睨んだ。

「降りる奴には関係ねえ。これはもう俺だけの問題だ」

「だめです。させられません」

木戸さんが一歩近付いたと思ったら、衝撃が顔の左側で弾《はじ》けた。びゅんという風切り音と、バチンという音が同時だった。視界が光る白色に染まり、少し遅れてそれが平手打ちだと理解できた。ああ、こんなのは何年ぶりだろう、と思った。

左後ろのほうでは坂本が詰め寄られていた。何ごとかを坂本が言い、なら俺を止めてみろ、と木戸さんが怒鳴った。おそらくは木戸蹴りのようなものをくらい、坂本が悶絶した。

「させられません！」

木戸さんの本気に向かって、僕は大声を振り絞った。木戸さんは景気付けのように、追加の蹴りを坂本にくらわせ、こちらに振り返った。

「ここまでです」

と、僕は言った。

「言うだけだったら、サルでもできるよな」

木戸さんは物凄い形相で僕を睨んだ。とっさに思ったのは、サルはしゃべれない、ということだったが、そんなことはどうでも良かった。

「木戸さんに勝てばいいんですか？」

「なに？」

「言っときますけど、俺、木戸さんなんかに負けませんよ」

「……上等だよ」

木戸さんは左手に握っていた煙草の箱を、地面に放った。つかつかと僕に近寄り、胸ぐらを摑《つか》んだ。

「やめろ！」

そのとき、坂本が叫んだ。

木戸さんは一瞬動きを止めたが、また僕の胸元を捻《ひね》り上げた。

「やめろ！」坂本は絶叫した。「どうしら！」

どうしら、と言われた僕らの動きは止まった。どうしら？　僕らはお互いの動きを牽制《けんせい》しながら、目の端で坂本の様子をうかがった。

坂本は、はあはあ荒い息を吐いていた。何かをぶつぶつぶつぶつ呟《つぶや》いたあと、メガネを外し、胸のポケットにしまった。

「どうしてもやるっていうなら、相撲で決着をつけろ！」

はあはあと荒い息を吐きながら、坂本は足で円を描きはじめた。睨み合う僕と木戸さんの周囲に、土俵らしきものができ上がっていった。

「相撲をしろ！」

坂本が叫ぶのと同時だった。僕は木戸さんの足をすくって、襟首《えり》を支点に思い切り投げ飛ばした。ぶちぶちぶち、と自分のシャツのボタンがちぎれ飛ぶのがわかった。

地面に転がった木戸さんは、何か吠えるような声を出し、次の瞬間には僕の腰に組み付いてきた。僕は木戸さんの襟とベルトを摑み、思い切り左右に振った。足を引っ掛けて投げ飛ばそうとしたが、木戸さんが手を離さないので、もつれるように地面に倒れた。

公園の地面は、固くて柔らかく、懐《なつ》かしい匂《にお》いがした。僕は口に入った砂を吐きだし、そのまま木戸さんを引きずり起こした。そしてまた投げ飛ばした。

煙草ばかり吸って、運動をしない木戸さんは悲しいまでに非力だった。

僕は何度も木戸さんを投げ、引きずり起こして、また投げた。木戸さんは僕のシャツを摑む手だけは離さなかったけど、そのうち力を出さなくなってしまった。僕はそれでも木戸さんを投げ続けた。

やがて息を切らした木戸さんは、地面にへたり込んで、しまいに大の字になってしまった。寝転がる木戸さんの脇に、煙草の箱が落ちていた。

僕ももう限界だった。膝に手をあてて呼吸をすると、喉の奥で変な音が鳴った。止めようとしても止まらなかった。

坂本がゆっくりと木戸さんに近付いていった。

木戸さんは、しっしっという感じに手を振り、「行け」と言った。それでも坂本が突っ立っていると、木戸さんは「行ってくれ」と言った。

歩いてきた坂本に促《うなが》され、僕は腰を上げた。僕らはのろのろと公園を出た。

公園の外から振り返ってみた。大の字になった木戸さんが煙草を吸っているのが、そこからは見えた。

空は晴れ、空気は澄《す》み、風は凪《な》いでいた。こんな天気の良い日に、僕は木戸さんを投げ飛ばしたのだ。木戸さんの爪《つめ》の痕《あと》が、裂傷となって両腕に残っていた。

〜

それから一週間が経った。

坂本は、まだ行かないほうがいい、と強く主張したし、僕もそんな気がしていた。結局、その週の火曜は木戸さんの家に行かなかった。

木戸さんは今何を考えているのだろうな、と一人の部屋で思った。ちぎれたシャツのボタンを縫《ぬ》おうとしたけど、ボタンは二つ足りない。これからが本来の鍋の季節なのにな、と思った。考えてみれば、僕らは七月から一週も休まずに、木戸邸に行っていたのだ。

僕と坂本は、何ごとも無かったかのように授業を受けた。何も知らない飯塚さんも、いつもと同じように授業を受けていた。知らないうちに命拾いした長澤さんも、どこかで何かをうまくやっているに違いなかった。木戸さんだけが、味方であるはずの僕らに、自分の往《ゆ》く道を潰《つぶ》されたのだ。

金曜の夜になった。

今日は彼女から電話がかかってくる番だった。随分《ずいぶん》早めに電話が鳴ったと思ったら、坂本からだった。

「おい」木戸さんふうに、坂本は言った。「今から富士に登るぞ」

「富士？　なんだよ、それ」

「木戸さんから今、そういう指令があったんだよ」

坂本は嬉しそうに言った。

「車借りてそっちに迎えに行くからさ、今から出られるだろ？」

「……ああ」

「富士山だからな、真冬の格好を用意しておけよ」

「わかった」

僕は時計を見た。彼女から電話がかかってくるまでには、まだ時間があった。今いるかな、と久々に僕は思った。

「どうしたの?」と、彼女は驚いた声を出した。

考えてみれば、電話の順番のルールを曲げたのは、そのときが初めてだった。

「ちょっと急用でさ」と、僕は言う。「今、大丈夫?」

「うん、ちょっと待って」

電話の向こうで彼女が体勢を変え、飲み物を用意する音が聞こえた。

僕は彼女に木戸さんの話をした。木戸さんとの出会い。木戸さんの部屋、木戸さんと坂本、木戸さんと肉、木戸さんが吐く言葉、ヨットと木戸さん。公園で敗れた木戸さん。

「へえー」

僕の長い話のあと、彼女は言った。

「その木戸さんって人はさ、多分そのとき、何かを突破しようとしたんじゃないかな。本当はミッチーやヨットマンなんて、どうでも良かったんだよ」

僕の彼女は凄い人だった。彼女は楽しそうに、ふふふふと笑った。

「だけど大野君が立ち塞《ふさ》がっちゃったんだ」

「悪いことしたかな?」

「そんなことないよ。そんなことで突破できるものなんか、あるわけないんだから」

僕の彼女は本当に凄い人だった。彼女はまた小さく、ふふふと笑った。

僕は明日のデートのキャンセルを伝えた。初めてのキャンセルだった。

「うん」と、彼女は言った。「行っといでよ、富士山。おみやげは無事故でいいよ」


二十三時を過ぎたころ、坂本が僕の家にやってきた。

坂本の借りてきたレンタカーに乗り、木戸さんの家に向かった。木戸さんはまだ何も準備をしておらず、それどころか酒を飲んでいた。

「何してるんですか」と、坂本は言った。

「お前らが遅いからだろうが」

坂本に促され、木戸さんはのろのろと立ち上がった。

「とにかく富士山をなめちゃだめですよ」

坂本は可能な限りの防寒対策を、木戸さんに促した。木戸さんは、老いてけ子に従えとか何とかぶつぶつ文句を垂れながら着衣を重ね、最終的には、何だかもこもこした感じに仕上がった。

富士山に向けて出発したときには、もう一時を過ぎていた。

運転は坂本がして、僕は助手席でロードマップを開いた。後部座席の木戸さんは、着いたら起こしてくれ、と言って寝てしまった。高速道路に乗るころには、いびきまで聞こえてきた。

坂本が持ってきたCDをかけた。深夜の高速を、僕らは快調に飛ばした。魂のボーカリストが「国境の地を僕らは駆けよう」と熱く叫び、そのあと呼吸音がきこえるほどマイクに近付いて「僕はそこへ行くよ」と何度も囁《ささや》いた。

御殿場《ごてんば》を経由して富士山スカイラインに入った。高度が上がり、道が曲がりくねってくるころ、木戸さんが目を覚ました。

「ここはどこだ?」

「富士山の三合目あたりです」

ステアリングを握る坂本が答えた。

「今、何時だ?」

「五時半くらいですね」

しばらくして新五合目に到着し、駐車場に車を停めた。エンジンを切ると、ふいに静寂に包まれた。

ここの標高は二千四百メートルということだった。外に出ると、予想以上に気温が低いのに驚いた。辺りはもう明るくなりはじめていた。

「うー」と唸りながら、木戸さんは小走りに進んだ。「さみい、さみい」

僕らは伸びをしながら、木戸さんの後ろに付いていった。

駐車場の端まで行った木戸さんが、「おお！」と大声を上げた。「おお！」

「すげえぞ！」

木戸さんは前を見たままシャウトした。

僕らは木戸さんの元に駆け寄った。木戸さんの視線の先に、絶景が広がっていた。

「おお！」

雲海。一面の雲海。密集した雲がどこまでも続き、その上に太陽が出ていた。目の前には、空と太陽と雲しかなかった。

僕らは肩を並べて、その光景の前に立った。

「すげえ……」と、坂本は言った。

太陽が雲を赤く染めている。たなびく雲はゆっくりと流れ続ける。

「すごいな」と、僕は言った。今まで言葉とか写真とかで知っていた雲海というものは、何てチンケなものだったのだろうか。

「これはすごいぞ」木戸さんが興奮気味に叫んだ。「墓場まで持っていけるぞ」

木戸さんの主張だけが、この光景と同等に渡り合える気がした。

僕らはその場に腰を降ろし、その光景を眺め続けた。

ずっと前からこの人のことが好きだったんだなあ、と僕は思った。あまり大きな声で言うことではないが、実は大好きだったんですよ、木戸さん。

太陽は少しずつ高度を上げていく。

「……俺は今、はっきりとわかったぞ」

木戸さんはまっすぐ前方を見つめながら言った。

「俺はな、もう全盛期《プライムタイム》を過ぎたんだよ」

感動的なこの光景に向かって、木戸さんは言葉を吐いた。

「何をやってもだいたい成功する、そこそこ満足できる。そういうところはもう終わってたんだよ。そのことに気付かずに、今まで随分だらだらしちまったわけだ」

雲は常に形を変え、ゆっくりと流れ続ける。

「お前らは今、そういう全盛期にいるんだぜ。だからな、俺からアドバイスしといてやる。そういうのはな、いつか終わるんだぜ」

太陽の赤が薄くなるにつれ、雲の輪郭がよりくっきりとしてきた。

「坂本」と、木戸さんは言った。「ミッチーのことはもう忘れろ。さっさと彼女を作れ。

それから勉強もしろ」

「はい」と、坂本は返事をした。

「大野」木戸さんは僕を見た。

「お前はどうする？　お前は俺に勝っちまったんだぞ」

僕は何も答えられなかった。代わりに、木戸さんはどうするんですか？　と小さな声で訊いていた。木戸さんはまた前を見た。

「俺はしばらく地下に潜る。だけどな、いつか必ず浮上してやる。そんときになったら俺はまた吠える。だからいいか、しばらく俺んちには来るんじゃねえぞ」

「……しばらくっていつまで？」と、坂本が訊いた。

「それは俺が決める問題じゃねえだろ」

目の前にある雲がいつも僕らが下から見上げている雲だとは、ちょっと信じられなかった。雲の上は、こんなに晴れ渡っていたのだ。いつだってこんなに晴れ渡っているのだ。

「お前らはここから登れ。俺はここで待ってる」

空から目を離さず、木戸さんは言った。

「全く、勝手だよなあ……」

と、坂本は言った。

僕らは二人で山頂を目指して歩きはじめていた。見上げる富士山は黒々として不気味ではあったが、頂上は案外近くに見えていた。

まだ登りはじめて十分くらいなのだが、坂本は、はあはあと息を切らせていた。休憩を多く取ったほうがいい、と彼は深刻な顔で主張した。そうしないと高山病になる、と。

大げさな奴だな、と思っていたのだが、すぐに僕もつらくなってきた。

登山道には僕らの他に誰もいなかった。僕らの足音と息づかいだけが、音の全てだった。さっきまであんなに晴れていたのに、辺りはもうガスに包まれている。

一歩ずつ足を進めながら、僕は木戸さんの問いを反芻《はんすう》していた。木戸さんに勝ってしまった以上、僕は覚悟を決める必要があった。

でも何の？　と僕は思った。

覚悟という言葉は、心地よく腹の真ん中に収まる。それだけで何かをなし遂げた気になりそうだった。だけどそうじゃないんだ。多分何かに白黒つけなきゃ、そんな言葉は使っちゃいけない。わかんねえよ、と僕は思った。木戸さん、俺にはわかんねえよ。

そのまま五十分くらい登り、僕らは六合目に到着した。だけどそこには通行止めの看板があった。『落石及び凍結のため、山頂まで通行禁止』と書いてあった。

「……富士山をなめてたな」

と、坂本は言った。「ああ」と、僕は言った。

僕らはそこに腰を降ろした。自分でも驚くほど呼吸が乱れていた。空気が薄いんだよ、と、息を切らしながら坂本は言った。

しばらくすると、下から三人の登山者がやってきた。本格登山隊という感じの彼らは、僕らと違って、立ったまま休憩を取った。上から下までスキーウェアのようなフル装備で、大きなリュックを背負い、手にはスティックを握っていた。

坂本が彼らと話をしにいった。何やらフレンドリーに話を交わし、最後にお辞儀をして戻ってきた。

彼らは僕らに手を振り、通行禁止の看板の横を抜けていった。

「……山頂まで六時間かかるってよ」

彼らの後ろ姿を見つめながら坂本は言った。

基本的に今のシーズンは熟練した登山家しか登らないものらしかった。山小屋も閉鎖されているため、水や食料なども用意しておかなければいけない。凍結した岩肌を、ロッククライミングのように登ることもあるらしかった。

「ここで撤退だな」と、坂本は言った。

「木戸さんは五合目で、俺と坂本は六合目ってことか」

「そうだな。だけど俺たちはまだ、これくらいでいいんじゃないかな」

坂本はジーンズにダウンジャケットという姿で、運動靴を履いていた。

僕もだいたい同じような格好をして、首にマフラーを巻いていた。

「また来ようぜ」と、坂本は笑いながら言った。


〜


それから一週間が経った。

僕と彼女はいつもと同じように待ち合わせをしていた。

「久しぶり」

時間通りにやってきた彼女が笑った。彼女と会うのは二週間ぶりなのだが、確かに久しぶりという言葉がよく似合った。

僕らは予定通り映画を観て、食事をした。その後、手を繋いで散歩をした。夜の運河沿いを歩き、ベンチに座った。

周りに誰もいないことを、僕は素早く確認した。僕らはゆっくりキスを交わした。ふにゃり、とした彼女の柔らかい唇が、僕は好きだった。

風が彼女の前髪を揺らし、僕のこめかみをくすぐった。僕らはいつも通りの黄金のタイミングで、ゆっくりと顔を離した。彼女は、ふふふ、と笑った。

「見られてるよ」

「誰に？」

「月に」

見上げると大きな月が出ていた。

月に見守られながら、僕らはもう一度キスをした。今度は短いやつ。

岸を叩く水の音が、足下から聞こえた。対岸のビルの明かりが、水面に落ちていた。来月はもう十二月だった。少し冷たくなった風に吹かれながら、僕らは運河を見つめる。

遠くで、ぱしゃん、と音がした。目で追うと、水面が少し乱れている。しばらくするとまた同じ音が聞こえた。きらめく魚影が薄明かりに見えた気がした。

「なにかな?」と、彼女が訊いた。

「ぼらが跳《は》ねてるんだよ、多分」

僕らはなるべく視野を広くとり、水面に目を凝《こ》らした。しばらくすると、期待通りにぼらが跳ね、とぽん、といって入水した。と、すぐにまた別の場所で、ぼらが跳ねる。今度は二ヶ所同時に、ぱしゃん、ぱしゃん、と音が聞こえた。

「えー」と、彼女は声を上げた。

「どうして? どうしてこんなに跳ねるの?」

「満月だからだよ」と、僕は言った。

「満月の夜、ぼらは跳ねるのさ」

彼女は嬉しそうな表情で僕を見た。満月の下、僕を見る彼女がとても可愛いかった。


そのとき突然思ったことがあって、それをここに書いておこうと思う。

それは僕の意志や覚悟なんかとは全く関係ない、単なる実感だった。とても気持ちが良くて、甘ったるくて、優しい実感だった。それは突然僕に降りてきて、驚くほど自然に体に馴染んだ。

――愛情をただただ育みたいと願うこと。

僕らの愛情の交換にゴールなんかはなくて、白黒つけるものなんか何もなくて。それはただただ育むもので、得られる愛情も、与える愛情もそんなものはなく、ただただ育みたいと願うこと。そんな祈るような気持ち。

そんなものが降りてきたとき、僕は嘘みたいだと思った。そんなものがあるわけはない。だけど、それ以外に何があるのだろう、とも思った。

少しずつ、少しずつ、大切に育んで。大きくなるものなんかじゃなくても、濃くなるようなものじゃなくても。ただひたすらに育んで、育んで。そう願い続けることだけが、愛情の交換なのかなって、そのときの僕は感じていた。

世界中を回るギブ＆テイクの輪の中で、僕はこれからも何かをなそうとするだろう。どれだけ丁寧《ていねい》にやっても、どれだけ慎重であろうとしても、僕の怠惰《たいだ》や欲望は誰かを傷つけてしまうだろう。僕は何度も自分に失望するだろう。

だからいつまでも覚えておきたいと願っていた。満月の下、彼女を通じて降りてきた優しい実感を、いつまでも覚えておきたいと、僕は願っていた。

週が明け、火曜日になった。

木戸さんの家に行ってくるよ、と僕は坂本に伝えた。

俺も行くと坂本は言ったけど、一人で行くと僕は主張した。お前はミッチーのことを忘れろって言われたわけだから、そうしてから行ったほうがいいんじゃないのか、と。

「そのことだけどな」と、坂本は言った。

「実は俺、最近は樋口《ひぐち》さんがいいんじゃないかと思えてきたんだよな」

ああ、と僕は思った。

樋口さんは普通に考えたら、飯塚さんよりもかなり美人だった。学科でも一番人気だ。

「結構いいと思うんだよな、樋口さんは」

坂本はしゃあしゃあと言ったあと、「でもな」と寂《さび》しそうな表情になった。

「正直に言うと、やっぱり飯塚さんのほうがちょっといいんだよ」

「……それはわかったよ」と、僕は言った。

「まあ、でも今日は俺一人で行くよ。どうせお前は木戸さんを甘やかすから、しばらく行かないほうがいいんだよ」

「そうか」と、坂本は言った。「わかったよ。ケンカすんなよ」

「ああ」


夜になってから、僕は木戸さん宅に向かった。

スーパーではなくコンビニエンスストアに寄り、陸橋を渡った。今日は坂本もいないし、鍋はナシだ。運送会社を過ぎ、大きな木の脇を抜け、木戸邸のドアの前に立った。ノックをして、「木戸さん」と大声を出した。しばらくして、そのドアは開いた。顔を出した木戸さんが、じろりと僕を見た。

「……なんだ、もう来たのかよ」

この人に会うのも、二週間ぶりだった。だが、あまり久しぶりという感じはしない。

「酒でも飲みましょうよ」

僕は部屋に上がった。買ってきたスルメをちゃぶ台の上に置き、「今日は鍋はナシです」と言った。

「……そうか」木戸さんはスルメを眺めた。

「まあ、俺たちの鍋は坂本にしか作れねえからな」

木戸さんがコップを二つ用意してくれた。

僕らはスルメをかじりながら、ちびりちびりと酒を飲みはじめた。サシで飲む酒は、なぜだかあまり美味しくなかった。

「その後、どうなんですか？　少しは浮上したんですか？　部屋は掃除してないみたいですけど」

僕は部屋を見渡した。結局、この人は坂本がいないと、掃除ひとつできないのだ。

「馬鹿だな、お前は」と、木戸さんは言った。

「一念発起《ほっき》したってな、そんなにすぐ何かが変わるわけはねえだろうが」

「わかります。これからですよ、木戸さん」

「うるせえよ」

木戸さんは、ぐびりと酒を飲んだ。

「だけどお前、驚くなよ」木戸さんは、にやりと笑った。

「俺はな、富士で一服したあと、まだ煙草を吸ってないんだぜ」

「……禁煙ですか」と、僕は言った。

「何だよ」

「いや、それは凄く良い一歩だと思います」

「偉そうに何言ってやがる。とにかく俺はお前なんかに負けるわけにはいかねえんだよ」

「いや、でも相撲は、かなり実力差がありましたよ」

「紙一重《ひとえ》だろうが」

「まあ、挑戦ならいつでも受けますよ。坂本に行司《ぎょうじ》をやってもらいましょう」

僕は木戸さんのコップにウィスキーを注ぐ。

「あいつはよー」木戸さんは、ぷっ、と笑った。

「あいつはあのとき、メガネを取って叫んだんだよな」

「取りましたね」僕も少し笑った。

最初はちびちびと飲んでいたのだが、そのうちペースが上がってきた。僕らはウィスキーを注ぎ合い、ぐいぐいと飲んだ。何だかわからないけど、もの凄い勢いで飲んでいた。

酔っぱらった木戸さんが、スルメを床に放り投げた。

「投げんなよ」と、僕は言った。鍋だ鍋だ鍋だ鍋だ鍋だ、と木戸さんは騒いだ。

「スルメなんか要《い》らねえんだよ、俺たちには鍋が必要なんだよお」

「今日はナシだって言ってるじゃないですか」

「ああー、坂本ー」

木戸さんは敷きっぱなしの布団にうずくまり、その後、くつくつと笑いだした。

「あいつはよー」顔を真っ赤にして木戸さんは言った。

「あいつはあのときメガネを取ったんだよな」

僕らは爆笑した。

「あいつは俺の大切な友達だよお」と、木戸さんは言った。

「何言ってんだよ。馬鹿じゃねえの」

「だってよう。あいつ、メガネを取ったんだぜ」

僕らはげらげらと笑い転げた。メガネメガネ言いながら、ぐいぐい酒を飲んだ。なぜだか猛烈に可笑しかった。メガネ一つで三杯はいけた。

ウィスキーの瓶は、そのうち空になってしまった。ふらふらと窓際に歩いていった木戸さんが、「おい、大野！」と、大声を上げた。

「驚くなよ。酒が切れたぞ」

心底驚いた表情を木戸さんはしていた。

「こ、これは、何かの啓示かもしれねえな」

「関係ないと思いますよ」

「いいや……。一念発起しようとしたら、これだ」

木戸さんは床にへたり込むように座り、何かをぶつぶつ呟きはじめた。

「わかったぞ！」この人は叫んだ。

「今日お前がうちに来た理由はこれだったんだよ」

その言葉は、何だか驚くほど僕の胸に響いた。

この人はこうやって突破しようとしていくんだな、と思った。それはとても木戸さんらしくて格好良いと思ったら、少し胸が熱くなった。

「だけどよー」この人は情けない声を出す。「どうするよ。酒が切れちまったぞ」

落ちているスルメを拾い食いしながら、木戸さんは泣きそうな表情をした。

「買ってくればいいじゃないですか」

「買うってお前、もう三時過ぎだぞ。売ってないだろ」

「何言ってんですか。コンビニ行けば売ってますよ」

「本当かよ」木戸さんはまた驚いた表情をした。

「そんなことも知らないんですか」

「嘘だろ？」

「本当ですよ」

全く信用していない木戸さんを連れだして、近くのコンビニエンスストアに行った。看板にはちゃんと『酒』と書かれていて、棚には当たり前のように酒が並んでいた。客は僕らの他に誰もいない。

「おい、大野」笑いをこらえながら木戸さんは言う。

「凄えぞ。普通に売ってるぞ」

だから最初からそう言ってるだろうが、と思いながら僕も可笑しくなってきた。こんな夜中に酒が売られているのは、確かに滑稽《こっけい》なことかもしれなかった。

「おい」木戸さんが声を押し殺しながら手招きする。「ヒレ酒、ヒレ酒だってよ」

そこにはカップ型のヒレ酒が積んであった。ラベルにはフグの絵が描かれている。

「よ、四百円。四百円だってよ」

僕らはこらえきれずに爆笑した。店員は僕らを警戒しつつも、無関心な感じだった。

大きな紙パックの日本酒を選び、レジに持っていく。

「おい」木戸さんはへろへろの笑い声で言う。「熱燗《あつかん》にしてもらえ」

「馬鹿じゃねえの」僕は吹きだした。

店員は無表情にレシートとお釣りをよこす。お前なんかにはわからねえだろうよ、笑いをこらえながら思った。でも本当は迷惑かけてごめんなさい。そう思ったらまた笑いがこみ上げてきた。

僕らは肩を組んで部屋に戻り、また飲みはじめた。だけどすぐに、抗《あらが》いようのない限界が押し寄せてきた。

可笑しさを通り越し、思考はぐるんぐるんと回転した。隣で木戸さんが吠えているのだが、何を言っているのかわからない。眠りに落ちては這い上がり、また落ちては這い上がった。眩《くるめ》く意識の中で、なぜだか一つだけ、握りしめるように考えていたことがあった。

――彼女に電話しなきゃ。今日はもう水曜日だけど。こんな時間に起きているわけないけど。だけど電話しなきゃ。電話――。

僕はまだ何も彼女に話していない気がした。僕が得た実感のこと。木戸さんと富士山に登ったこと。ここから先はお前らだけで登れ、って言われたこと。それだけじゃない。僕はまだ、何も彼女に話していない気がしていた。

話さなきゃ、と僕は思った。坂本がメガネを取ったこと。僕が今日ここにきた理由のこと。ヒレ酒が四百円だってこと。無愛想なコンビニの店員なんかにはわからないこと。話さなきゃ、話さなきゃ。そう思いながら、それだけを握りしめながら、落ちていく意識と闘っていた。

# Sidewalk Talk

本多孝好

本多孝好（ほんだ・たかよし）

1971年東京都生まれ。慶應義塾大学法学部卒業。94年、「眠りの海」で第16回小説推理新人賞を受賞。99年、受賞作を収録した短編集『MISSING』にて単行本デビュー。同作は『このミステリーがすごい！』でトップ10に入り、文庫化されるや40万部を超えるベストセラーとなる。03年、『FINE DAYS』（祥伝社刊）で恋愛小説の新たな地平をひらき、04年に刊行された『真夜中の五分前』は直木賞候補になるなど、今後がますます期待される注目作家である。著書に『ALONE TOGETHER』『MOMENT』『正義のミカタ』がある。

少し遅れるかもしれないと言ってはいたが、案の定《じょう》、約束の時間を十五分過ぎても彼女は姿を現わさなかった。そろそろくるだろうかと店の前で行き来する人たちの顔に視線を走らせていた僕は、こちらを不審そうに見返す人たちの視線に気まずさを覚え、店の横手に抜ける路地に回って、壁に寄りかかった。

七時十五分。金曜日の夜の銀座の歩道は、今週の仕事を終えた会社員たちでにぎわっていた。どうせ忙しいのは彼女のほうだからと、わざわざ彼女の会社に近い店を選んだのだが、あまり意味はなかったようだ。マレーシアの中央銀行が資本規制を緩和したり、シンガポールの生産指数が予想を下回ったりするたびに、彼女の仕事は長引く。それが世界のマーケットやら日本の経済やらにどれくらいの影響を与えてきたのかは知らないが、僕らの生活に与えた影響よりは小さいだろう。これまでにだって無駄にしてしまったコンサートチケットは何枚もあったし、結局見そびれてしまった映画も何本もあった。たまにはと気をきかせたつもりで作っておいた夕飯が無駄になったことも何度もあったし、それを無駄にするのが嫌《いや》で無理やり一人で食べたことも何度もあった。

寄りかかった壁に頭の後ろを預《あず》けると、建《た》ち並ぶビルの上に東京らしい低い夜空が広がっていた。そこに取り立てて見るべきものなどあるはずもなく、手持ち無沙汰《ぶさた》になって携帯電話を取り出した。が、彼女からの着信はなかった。こちらからかけてみようかと思い、それも何だか遅刻を咎《とが》めているように受け取られそうで、やめた。連絡がないということは、さすがにもうこちらに向かってはいるのだろう。

彼女を待つのはこれで何度目だったろう、と携帯電話をしまい、僕は考えた。昔は違った。学生時代、知り合ったころの彼女は、待ち合わせた誰かを待たせるなんてことはしなかった。少なくとも、そのころ、僕が待たされたことはなかった。それが大学を卒業し、お互い就職したころからだ。約束の十分前にはきていた彼女が、約束の時間ちょうどにくるようになり、十分遅れるようになり、二十分遅れるようになり、やがて僕は彼女との待ち合わせには必ず文庫本を一冊持っていくようになった。そう考えてみれば、僕は彼女を待つことにくたびれて彼女と結婚したような気すらしてくる。それにしたってこんなときくらい……。

思わず漏《も》れたため息は、やがて苦笑に変わった。最後くらい遅刻しなければいいと思うその理屈を裏返せば、最後の遅刻くらい許せばいいということにもなる。彼女を待つのがこれで何度目だったかは覚えていないが、どの道、これが最後だ。

店の中に入って待とうかと思い立ち、やめた。せめて最後くらい、きちんと振舞いたかった。やってきた彼女を笑顔で迎え、彼女のために店のドアを開け、席に着き、オーダーをする。食前酒からデザートまでちゃんと食事を済ませ、会計をして、また彼女のためにドアを開け、そこで別れる。つまらない形式主義だと彼女は笑うだろうけれど、僕らの結婚生活だって五年続いたのだ。最後くらいきちんとしておきたかった。

長くなることを覚悟して、僕は鞄《かばん》から文庫本を取り出した。向かいの店の明かりを頼りにページをめくりながら、五分置きくらいに店の前の通りに顔を出していた僕は、何度目かに顔を出したときに、遠くから駆けてくる女性の姿を認めた。長いタイトスカートで走りにくそうに、それでもハイヒールをカタカタ鳴らしながら全速力で駆けるその女性の姿は、道行く人たちにとっても奇異だったようだ。追い抜かれた何人かが驚いたように一瞬足を止めて彼女の背を見送っているのが、僕のところからでもわかった。ワンブロック先の交差点で彼女は走るのをやめ、こちらをうかがった。が、路地から顔を出していただけの僕には気づかなかったようだ。一つ大きく息をつくと、彼女はそこからゆっくりと歩き出した。僕は文庫本をしまい、路地から出て、店の前に立った。僕に気づいた彼女が軽く手をあげた。僕もそこで初めて気づいたように彼女に手をあげ返した。それでも歩を早めることもなく、彼女はゆっくりと近づいてきた。

「ごめんなさい。また待たせちゃったね」

僕の前にきたときには、彼女はすっかり息を整えていた。その前の彼女を見ていなかったら、ずっとそのペースで歩いてきたと思っただろう。そういうところは出会ったころから変わらない。言い訳《わけ》がましいことはしないし、言わない。その潔《いさぎよ》さが好ましいものから疎《うと》ましいものになったのは、いつのころからだったろう。

「大丈夫。大して待ってないよ」

僕は言って、彼女のために店のドアを開けた。

彼女の後ろから店内に一歩足を踏み入れ、僕は少したじろいだ。モノトーンで統一された店内の片隅《かたすみ》にはピアノが置かれ、女性のピアニストが淡々とした表情で静かなソナタを奏《かな》でていた。深いグレーの背広を着た白髪の男性が入り口に立ち、予約表らしきものに視線を落としていた。予約の電話を入れたときに大体の予算を聞いて覚悟はしていたが、それにしても分不相応《ぶんふそうおう》の店を選んでしまったようだ。そっと様子をうかがったが、仕事でこういった場所にくることもあるのかもしれない。彼女のほうに取り立てて身構えている風《ふう》はなかった。

僕は覚悟を決めて、白髪の男性に予約している旨《むね》を告げ、遅れてしまったことを詫《わ》びた。彼はにっこりと微笑《ほほえ》んで、僕らを店の中ほどの席に案内した。一様に一輪挿《ざ》しとキャンドルとが真ん中に置かれているテーブルで、何組かの客が静かに談笑しながら食事をしていた。僕としては上等のスーツを着てきたつもりだったが、それでも彼らが着ているものに比べれば見劣《みおと》りするような気がした。

男性が彼女のために椅子《いす》を引き、僕は向かいに腰を降ろした。差し出された分厚いメニューを開け、僕が戸惑《とまど》ったのを察したのだろう。

「私は、そうだな、食前酒はシェリーにしようかな。あなたはどうする？」

自分の希望を言うような形で、彼女が僕に助け舟を出した。僕は彼女の助けを借りながら、何とか食前酒からデザートまでメニューを決めていった。注文を受けた男性が、かしこまりました、と頭を下げて姿を消し、僕はほっと息を吐いた。

「もっとカジュアルな店にすればよかったよ」

「そんなことない。素敵なお店じゃない」

思わず笑みを交わしてから、その場違いさに気づき、僕らは互いの笑みを持て余した。気詰まりになって、僕はテーブルの真ん中にある一輪挿しに挿された白い花に目を向けた。彼女はすっとピアノのほうに一度視線を外すことで、笑みを収めた。

「それで、これ」

僕に視線を戻すと、彼女は空《あ》いた席に置いていたバッグに手を伸ばし、そこからためらいがちに茶封筒を取り出した。

「ああ」

出しにくそうにした彼女のほうに手を伸ばして、僕はその茶封筒を受け取った。周囲の人たちに封筒の中身が見えるわけはないし、見えたところで別に恥《は》じるものでもないが、それでもやっぱりひけらかすものでもない。たった一枚の紙切れが入っているだけのはずの茶封筒は、当たり前だけれど軽かった。その軽さは、僕らの五年間を終わらせるには物足りないような気もしたし、僕らの五年間などその程度にしか過ぎなかったような気もした。

「ねえ」と僕の手に渡った茶封筒に目を向けたまま、彼女は言った。「それ、本当に頼んじゃっていいのかしら?」

「いいよ」と僕は自分の鞄を引き寄せて、言った。「近いうちに出しておく」

僕が鞄を開けたところで、彼女が、あ、と声を上げた。

「何?」

「証人のところは空欄のままだけど」

「ああ。大丈夫。社長に頼んである。奥さんと二人でサインしてもらうことになってる」

僕は茶封筒を鞄にしまった。

「そう」と彼女は頷《うなず》いた。

僕は今、工務店で住宅の設計を担当している。二十年ほど前、棟梁《とうりょう》だった社長と何人かの大工で始めたという会社は、いち早く自然素材を大事にした家造りを始めて、当時から業界では注目を集めたという。僕が入社したころから、一般的にもその名前が徐々に認知されるようになり、今では関東一円に支社を持つまでになっている。百人以上の社員を抱《かか》える企業のトップになっても、棟梁だったころの気質が抜けないのだろう。社長は一社員に過ぎない僕のことまで何くれとなく気にかけてくれている。「お前はうちが初めて採用した大卒だからよ」というのがその理由らしいが、何ということはない。「俺の姪《めい》っ子と同じ年だから」とか、「俺のかかあの妹と同じ高校を出てるから」とか、相手によってその理由が変わるだけだ。社長にとって、自分とかかわりのない人など世界に一人もいないのだろう。離婚届の証人を頼むというのも気が引けたが、話してみれば社長は深く詮索《せんさく》もせず、二つ返事で引き受けてくれた。それがつい先週末のことだ。今日聞いた噂では、僕とくっつけようと、女子社員の中で独身者を洗い出しているらしい。その話を聞いたとき、その出過ぎたお節介《せっかい》に顔をしかめてもよかったのかもしれないが、あの社長らしいと思わず僕は笑ってしまった。

「あなたの会社の社長って、谷崎《たにざき》さんっていったっけ？　私はほとんど話したこともないのにね」

結婚式のときに挨拶《あいさつ》をしたくらいで、彼女と社長とはほとんど顔を合わせたことがない。そうしようと思えばできる機会は何度かはあったけれど、彼女と社長とで話が合うとはどうしても思えず、結局、改めて二人を引き合わせることもないまま今日まできてしまった。彼女のことをろくに知らない社長夫妻が、いったい僕らの離婚の何の証人なのか、僕にもよくわからない。けれど、離婚届に必要な二人の証人は誰でも構わない。極端にいうなら、今、この場でウェイターに頼んでも構わないのだ。

「おかしなもんだよね」と僕も頷いた。

食前酒を持ってきたウェイターに僕らは口をつぐんだ。先ほどの白髪の男性とは違う若いウェイターは、折り目正しく一礼をしてから、僕と彼女の前に食前酒を置いた。ウェイターが立ち去ってから、僕らはグラスを手にして、互いに顔を見合わせた。今更《いまさら》、二人で杯《さかずき》を掲《かか》げるべきものなどあるはずもなかったし、かといってお互いの将来に掲げるのではあまりに芝居じみている。

結局、僕らは目線の高さに黙って掲げただけで、お互いのグラスを口に運んだ。

「仕事のほうはどう？」

　グラスをテーブルに戻して僕は言った。

「何かトラブルでもあった？」

「ええ」

　頷いて、そのまま何かを言おうと視線を上げた彼女は、僕と視線がぶつかると、ふと思い直したように笑いながら首を振った。

「何？」と僕は聞いた。

「私はこうやって五年間も、あなたに愚痴《ぐち》を言い続けたのね。ううん、結婚前まで入れればもっとか」

　今更気づいても遅いけど。

　手にしたグラスの中身に視線を向けて彼女は呟《つぶや》いた。

「そんなこと、気にしてないよ」と僕は言った。「気にしてなかった」

　実際、僕は彼女の口から愚痴など聞いた覚えはなかった。仕事のことも、そこでの苦労も耳にしたことはあったけれど、それらはどれもすでに彼女の中で消化されてから出てきたものだった。それは愚痴でも泣き言でもなく、ただの日常会話だった。その程度のことですら僕に漏らすことに、彼女は引け目を感じていたのだろうか。

「僕には想像もつかない世界だしね。話を聞いてるだけでも楽しかったよ」と僕は言った。「何だか、自分まで偉くなったように思えたしね」

そんなこと、と彼女は曖昧《あいまい》に笑った。

仕事に貴賤《きせん》はない。それはそうかもしれない。アジアのマーケットと睨《にら》めっこしている彼女の仕事と数千円の坪単価の違いを気にしながら図面を引いている僕の仕事との間に、本質的な貴賤はないだろう。けれど、本質的な貴賤はなくとも、世間的な価値の違いはある。それはサラリーという目に見える形で表現される。

もしも彼女が、たとえば普通の事務の仕事なんかをしていて、サラリーも忙しさも僕と同じくらいで、無駄にしたコンサートチケットの半分が無駄になっていなかったとしたら、あるいは見そびれた映画の半分でも一緒に見ることができていたら、もう少しだけ一緒に夕食をともにできていたら、僕らの関係は今とは違っていただろうか。

僕はそんなことをぼんやりと考えた。けれど、そんなこと、今更考えたところで意味のないことだった。

食前酒を飲み干しながら、彼女は僕が考えたのとは違う「もしも」を考えていたらしい。

「ねえ、もしも。もしも、よ」

空になったグラスをゆっくりとテーブルに戻して、彼女は言った。

「うん」

「私たちの間に子供ができていたら、こんな風にはならなかったかしら」

僕は思わず彼女に目を向けた。が、彼女の表情にそれとわかるような変化はなかった。一瞬、何気《なにげ》ない質問かとも思ったけれど、そんなわけもないだろう。現に、あのときの子供が産まれていたら、とは彼女は言わなかった。

彼女の妊娠がわかったのは、結婚してちょうど一年、僕らが二十八のときだから、今から四年ほど前のことになる。けれど、その子が産まれてくることはなかった。もしも、あのときの子供が産まれていたら、と僕は考えた。たぶん、僕らの関係は今とは違っていただろう。うまくいっていたかどうかはわからないけれど、少なくとも今と同じではありえない。一人の子供を挟んだ両親として、夫婦とは違う関係が生まれていたはずだ。けれどそれも、今更言っても意味のないことだった。

「子供がいたら違っていたかもしれない。でも、どうせこうなるんだったら、子供がいなくてよかったとも言える。子供がいたら、こういうのも、やっぱり大変だろうし」

「そう」と彼女は言って、ちょっと上唇を嚙《か》んだ。「そうね」

流産の原因ははっきりしないが、少なくとも母親の責に帰《き》するものではない。医者はそう言った。たとえば、彼女が現在のような忙しい仕事をしていなくて、毎日安静に暮らしていたとしても、今回の流産は避けられなかっただろう。それが医者の見解だった。僕はそれで納得《なっとく》した。いずれまたできるだろう。どこかでそう考えてもいた。が、彼女はそうは思わなかったのかもしれない。考えてみればそれ以降、それまで以上に彼女は仕事に没《ぼっ》頭《とう》し始めた。僕はそれをむしろ歓迎した。少しでも彼女の気が逸《そ》れるのなら、そのほうがいいと思った。けれど、今思えばそれは、まるで産まれてこられなかった子供の敵《かたき》でも取るみたいだったようにも思えた。それが最後のチャンスだったのだという漠然《ばくぜん》とした予感みたいなものが、女の彼女にはひょっとしたらあったのかもしれない。その後もそれまでと同じようにセックスはしていたけれど、僕らの間に子供はできなかった。

ワインを手に近づいてきたウェイターの姿に、彼女は脇に置いていたナプキンを膝《ひざ》に広げた。僕もそれに倣《なら》った。やってきたウェイターは、彼女と僕の前にグラスを置き、僕のグラスにワインを注《つ》いだ。味の違いなんてわかるはずもないけれど、僕はそれを口にして、おいしいですと頷いた。ウェイターは微笑みながら僕に頷き返すと、彼女と僕のグラスにワインを注いだ。

彼の目に僕らはどんな風に映っているだろう、とグラスに注がれていく赤いワインを眺めながら僕は思った。結婚記念日を祝っている仲のいい夫婦だろうか。あるいは大きなプロジェクトを成功させた会社の同僚か何かに見えるのだろうか。

ウェイターが立ち去ってから、僕らは何にということもなくまたグラスを掲げ合った。

「恋愛結婚のいいところはね」

そのグラスに口をつけてから、彼女が言った。

「お互いを好きだったころの思い出があるってこと、だって」

「誰が？」

「母さん」

「ああ」

「昨日、実家に電話したの。久しぶりに小言《こごと》を頂戴《ちょうだい》したわ。離婚のこと、話してなかったから。それと」

彼女は言いよどみ、目線で僕が促すと、軽く笑いながら言った。

「少し泣かれた」

「二人は、確か」

「ええ。お見合い。だから、恋愛結婚に対して、妙な憧《あこが》れがあるらしい」

傍《はた》迷惑な話よね、と彼女は笑って、またワインを一口飲んだ。

僕が彼女の両親に最後に会ったのは、もう半年も前だ。還暦を迎える彼女の母親の誕生日だというので僕らは家に招かれた。たぶん、二人は、そのころにはもうぎくしゃくしていた僕らの気配を察していたのだろう。

「いたらないところばっかりでしょうけど、これからもよろしくお願いしますね」

ふとした会話の流れをつかみ、冗談めかしながら僕に深々と頭を下げた彼女の母親の姿を思い出した。

「夫婦なんてもんは、何、あれだ」と酔っ払って僕の耳元で囁いた彼女の父親の言葉を思い出した。「一つ布団で寝てりゃ、まあ、何とかなるもんさ」

善良な人たちだった。その善良な二人をひどく傷つけてしまったことにかすかに良心が疼《うず》いた。けれど、まさか二人のために結婚生活を続けるというわけにもいかない。

「あなたのご両親は？」

「ああ、うん。うちはね。そりゃ、ちょっとはショックだったみたいだけど、でも、別に大丈夫」

「そう」

お前みたいな田舎もんと、そううまく続くわきゃあんめえとも思ってたけんどよ。

僕が自分の親に離婚を報告したのは、もう少し前のことだ。話を聞いた親父は、電話口でそう苦々《にがにが》しく笑った。

「でも、もったいねえな。あんな美人にゃ、お前、二度とモテねえぞ。本当にそれでええだか？」

目の前でワイングラスを口に運ぶその女性の顔を僕は改めて見直してみた。

はっとするほど美人ではないが、すっきりとした端整な顔立ちをしている。薄い化粧。小さなピアス。年相応の落ち着きと分別。

彼女とは二度と会えない。

そのことについて、僕はしばらく考えてみた。笑うと右の頰《ほお》だけにできる笑窪《えくぼ》。少し鼻にかかった笑い方。考え込むと上唇を嚙む癖。そういうすべてのものを失ったことを、いつか惜しむときがくるのかもしれない。

別れることに特別な理由があるわけではない。彼女に恋人ができたわけでもないし、僕が莫大な借金を抱え込んだわけでもない。ただ、昔は確かにあった二人の間の何かは、変質して色褪《いろあ》せてしまった。彼女が忙し過ぎたのかもしれない。僕が無神経だったのかもしれない。わからない。誰かに相談したら笑い飛ばされるだろう。結婚生活なんてそんなものだ、大人になれ、と、説教の一つでもされるかもしれない。だから、僕らは誰にも相談しなかった。もうやっていけない。それは、言葉で説明できない分、動かしようのないものに思えた。

ウェイターが前菜を持ってきて、僕らの前に並べ、それぞれの料理を簡単に説明してから立ち去った。

「ねえ、変な意味に取らないでよ」

ナイフとフォークを手にして皿に向かいながら、彼女は上目遣いに僕を見た。

「私との付き合いの中で、一番いい思い出って何？」

「何だろう」と言って、僕は少し考えた。

結婚式？　新婚旅行？　もっと前。出会ったころ？　彼女に恋を告白したとき？　初めてデートしたとき？

けれども考えつく思い出のすべては、僕の中でとっくに色褪せてしまっていた。愛着がないわけではない。大事だとも思う。けれど、ただそれだけだった。それは何も訴えてこなかった。そこからは何も始められなかった。

「咄嗟《とっさ》に言われてもわからないな。君は？」

「私？」

彼女は少しだけ笑った。

「初めてプレゼントをもらったとき」

「プレゼント？」と僕は聞き返した。「初めてのプレゼントって、ええっと、何だったたっけ?」

「お花よ」

彼女は僕らの間にあった一輪挿しに挿された白い花を見て言った。けれど、僕は彼女のために花を買った記憶などなかった。

「覚えてないの?」

責める風ではなく、ただちょっとがっかりしたように彼女は言った。

「学生時代、私の誕生日。ほら、横村《よこむら》くんと」

言われて思い出し、僕は苦笑した。

「ああ、あれ」

「そう、あれ」

彼女も笑って、一輪挿しに挿された白い花に手を伸ばし、摘《つま》むように持ち上げた。

僕らが出会ったのは、大学一年の春だった。そのころ、この国は今より少しだけ裕福だったし、だからそのころ、この国の大学生は今より少しだけ浮かれていた。けれどもちろん、それは一般的に言えばということであって、すべての国民が裕福だったわけではないし、すべての大学生が浮かれていたわけでもない。田舎で雑貨屋をやっている両親からすれば、僕への仕送りは決して楽にやりくりできる額ではなかったはずだったが、それでもそれだけでは生活費はまかなえなかった。大学入学のために上京するのと同時に僕はアルバイトを探し、大学とバイト先を行き来する忙《せわ》しない日々を送っていた。

夏休みを間近《まぢか》に控《ひか》えたある日、大学のキャンパスを歩いていた僕は不意に呼び止められた。声をかけてきたのは、入学当初に入ったサークルの同級生だった。入ってはみたものの、僕はアルバイトで忙しく、サークルの集まりにはほとんど顔を出していなかった。

「お前さ、今日の夜、時間ない？」

今思えば、彼はどこにでもいる大学生の一人だったのだろう。けれど、その当時の僕にとって、彼は東京の大学生のお手本みたいな人だった。父親は大手銀行の支店長かなにかで、いつもファッション誌から抜け出たような格好をしていて、車を買うためにアルバイトをしているという話だった。彼が僕を軽んじていたとは思わない。馬鹿にしていたわけでもないだろう。けれど、そう声をかけられたとき、いつも生活のためのアルバイトで忙しい僕の生活を笑われたような気がした。僕はひがんでいたのだ。

「時間ならあるけど」と僕は少しむきになって答えた。実際、その日は店でトラブルがあり、たまたまアルバイトが休みになっていたのだ。「何？」

「彼女の誕生日なんだよ」

彼は自分の背後を指して言った。そこには女の子が一人立っていて、少し心配そうに僕らを眺めていた。その子も同じサークルの同級生で、確か経済学部だったということくらいしか、僕は知らなかった。

「だから、みんなで祝おうってことになったんだけど、よかったら、お前もこないか？」

なかなかサークルに顔を出せない僕をわざわざ誘ってくれたその親切に、少なからず反発を持って彼を見ていた僕は、自分が恥ずかしくなった。

「ああ、ありがとう」と僕は言った。「でも、いいのかな」

僕は彼の後ろに立った女の子をちょっと見て言った。彼女はやっぱり少し心配そうな、あるいは困ったような顔をして僕らのやり取りを見守っている気がした。

「もちろんいいさ。こっちから誘ってるんだから遠慮すんなよ」

「それじゃ、せっかくだから行くよ」

「じゃ、今日の七時に」

彼は言って、渋谷《しぶや》にあるイタリアンレストランを指定した。

「予約しておくから」

「ああ、うん」と僕は言った。

レストランを予約するなど、その当時の僕には考えもつかないことだった。僕は借りていたアパートに帰り、そのとき、一番まともだと思える服装に着替え、約束の時間通りにそのレストランに向かった。今考えれば、それほど高級な店でもない。大学生が女の子のために精一杯見栄《みえ》を張って予約したと思えば、微笑ましく思える、そんな店だ。けれど、その当時の僕にとってはそんなことでもなければ、入ることなど思いもつかないような店だった。

みんなで、と言っていたので、てっきり大勢がくるのかと思ったが、その場にきたのは、彼と彼女と僕だけだった。そして彼は食事が始まる前に小さな包みを取り出し、僕を慌《あわ》てさせた。恋人でもない女の子の誕生日に何か誕生日プレゼントを持っていくだなんて、そのときの僕には想像できなかった。彼女の食事代をみんなで出し合えばそれでいいだろうくらいに思っていたのだ。小さな水色の小箱の中身は、その当時、流行《はや》っていた銀のネックレスだった。

「もらえないわよ、こんな高いもの」

「だって、もらってもらわなきゃ、他に使い道がない」

「でも……」

「これ、いいだろ？　これ買うために先月からバイトを増やしたんだ。頼むから受け取ってよ」

その後、受け取る受け取らないのやり取りがしばらく続いた。そのときにはもう、さすがに察しの悪い僕にも二人の関係は見えていた。彼が彼女に気があり、それでもまだ二人で誕生日を過ごすような関係ではなく、だから僕が担《かつ》ぎ出されたのだ。ここで二人の気持ちが確認できれば、僕はそれで用なしになるのだろう。たぶん、サークルの他の人たちには、そんな間抜けな役回りを頼めなかったのだろう。あるいはみんなに断られたのか。そのときたまたま事情を知らない僕が、間抜けな顔で二人の日の前を横切ったのだ。

　僕はかなり腹を立てていた。こんなことに巻き込まれたことにも腹を立てていたし、巻き込まれた自分の間抜けさにも腹を立てていた。まだ恋人でもない誰かのためにアルバイトができる彼にも腹を立てていたし、まだ恋人でもない誰かから高価なアクセサリーを贈られている彼女にも腹を立てていた。ついでにその日に限って、たまたま休みになったアルバイト先にも腹を立てていた。東京なんて大津波がきて丸ごと海に沈んでしまえばいいと思った。

「だって、こんなの、やっぱりおかしいよ」

　ねえ、と同意を求めるように彼女が僕を見た。あとになってみれば、そのときの彼女が本当に困っていたのだとわかる。けれど、そのときの僕はそうは受け取らなかった。すでにあるシナリオをシナリオ通りに進めている演技にしか見えなかったのだ。与えられた役が端役《はやく》だというのなら端役らしく、僕はさっさとこんな舞台から退場したかった。

　僕は黙って席を立ち、そのまま店を出た。店の窓のすぐ脇に小さな花壇が作られているのは、入るときに目にしていた。僕はその花壇に咲いていた黄色い百合《ゆり》みたいな形の花を一本折った。店の中に戻り、席について、僕は彼女にその花を差し出した。

「え？」と彼女が言った。「何？」

「誕生日プレゼント。安物で悪いけど」

「安物って、お前、これ、そこで取ってきたろ」と彼が呆《あき》れたように言った。

「この花とそのネックレスで二人分だと思えばいい。一人頭に換算すればそんなに高くなる。いや、それでも高いのかもしれないけど、少なくとも半分にはなる」

　僕は彼を無視して一息にそう言った。彼の表情がぱっと明るくなった。そんなの、と言いかけた彼女に、彼が畳《たた》みかけた。

「そうだよ。それでいい。俺とこいつからのプレゼント。な？」

　僕はもう二人を気にせずに、やってきた料理を黙々と食べた。その後は、シナリオ通りに事が運ぶのだろうと思っていた。退場が近い端役としては今のうちに元を取らなければならない。彼女の分は彼に持たせるにしたって、その会計の三分の一でも僕の一週間分の食費は優に越えそうだった。

「それじゃ、これを二人からってことでいただくわ」

しばらくの押し問答のあと、彼女がそう言うのが聞こえた。ほらね、と顔も上げず、黙々と食事を続けながら僕は思った。やっぱり僕の分まで含めて彼に持たせようかと思った。

「そんな」

　思いがけず彼が情けない声を出して、僕は顔を上げた。彼女は黄色い花を右手で摘み、左手でネックレスが入った水色の小箱を彼に向かってつき返していた。

「いい匂い」

　彼女は花に顔を寄せて、にっこりと僕と彼に微笑んだ。彼が何かを言いかけたが、それより先に彼女はきっぱりと言った。

「ありがとう。とてもうれしい」

　彼女は白い花を顔に寄せ、目を閉じてその匂いを嗅いだ。

「すごく怒ってたでしょ、あのとき」

　目を開けて彼女は言い、白い花を一輪挿しに戻した。

「そうだね。すごく怒ってた」と僕は笑った。「まだ若かったし」

「何て不器用な人だろうって呆れたわ」

「そうだろうね」と僕も笑った。

「こういう人からの愛情を受けられたら素敵だろうなって思ったのは、あのときかもしれない」

「うん？」

「でも」

彼女はちょっと照れたように言った。

「まだ若かったし」と僕は言った。

「そうね。まだ若かったし」と彼女も笑った。

その後、彼は僕らより先に結婚して、今では二児の父親になっている。俺がキューピッドだよな、と僕らの結婚式にきてくれたとき、彼はそう言って笑った。結婚までしてくれりゃ、俺も恥をかいた甲斐《かい》があるってもんさ。

確かに、僕らの関係をたどって行けば、あの日に行き着くのだろう。けれど、その後、僕らが急速に親しくなったわけではない。実際に僕らがきちんと付き合い出したのは、それから一年もあとのことだった。偶然、僕がバイトをしている店に彼女が客として現われたり、たまに顔を出したサークルの会合でたまたま隣り合わせの席になったり、大学へ行くときに同じ電車の同じ車両に乗り合わせたり、そのとき僕が手にしていた文庫本がたまたま彼女が読んだばかりの小説だったり。僕らがそれなりの経過をたどるためには、まだもういくつかの偶然が必要だった。そしていつしか僕は、その偶然をただの偶然とは考えないようになっていた。

他にいっぱい店がある中で、どうして彼女はこの店に入ったんだ？　しかも僕が店にいる時間に。

これ何人いるんだよ。隣り合わせる確率って、どれくらいだ？

同じ電車に乗り合わせたことは、それはたまたまかもしれないけど、そのときたまたま読んでた本を彼女もついこの前読んだばかりだなんて、これはもうたまたまじゃないだろう？

そんな調子だ。度重なったいくつかの偶然を、僕はいつか小さな奇跡と受け取るようになっていたのだ。恥ずかしい話だけれど、そう思ったのだから仕方がない。僕はやっぱり若かったのだ。今の僕なら、彼にこう忠告するだろう。大きかろうと小さかろうと、世界に奇跡などない。あるのはいくつかの偶然だけだ。偶然が重なって一つの方向を示唆《しさ》しているように見えるのだって、それだってやっぱり、ただの偶然なんだよ、と。彼はいったいどんな顔をするだろう。

たぶん、それでも彼は、彼女に恋を告白するのだろう。仕方がない。そのときの彼にとってはもう、彼女のいない世界なんて、彼女のいないこれから先の時間なんて、微塵《みじん》も想像できなかったのだから。

　でもさあ、お前、と、僕はそれでも彼に忠告したい。告白するならするで、もうちょっと考えろよ。気のきいたプレゼントでも用意して、ちゃんと彼女の目を見て、ああ、練習したせりふなんてどうせ言えやしないんだから、もうさっさと寝て、明日に備《そな》えろよ。

　その忠告もたぶん無駄だろう。どう気持ちを伝えるかで彼の頭はいっぱいで、そこには何かプレゼントを持っていくなんて思いつく余裕はなかったのだ。そのくせ、彼女を前にした途端、散々練習したはずの言葉は頭からどこかへすっかり飛んで行ってしまい、結局、彼は彼女の目すらまともに見返せないまま、寝不足の真っ赤な目をしばたたかせながら、彼女の足元に向かって、もごもごと怒ったように恋心を告げることになるのだ。

　僕らの前にそれぞれのメインの料理が運ばれてきた。

「おいしい」

　ソースのかかった牛のフィレ肉を一口食べて、彼女は言った。

「こんなときでも、おいしいものはおいしいのね」

　僕も自分が頼んだ鳥のソテーに手をつけた。

「あ、こっちもおいしい」と僕は言った。

「そう?」

「うん」

以前の僕らならば、そこで一口ずつでもお互いの料理を交換したのだろうが、今の僕らはそうしなかった。僕らはしばらく黙ってそれぞれの料理を食べた。ふと、フォークを持つ彼女の手の薬指に指輪がまだあることに気がついた。僕の薬指にも指輪がまだはめられていた。僕はそれをいつ外すだろう。今日、部屋に帰ったそのときだろうか。あるいは、店を出て、彼女の背を見送って、その背中が見えなくなったときか。彼女のほうはいつそれを外すのだろう。

「それで、これから、どうするの?」

料理を半分ほど食べ終えたころ、彼女がそう聞いた。

「これから?」

「あの部屋に一人じゃ、だって広過ぎるでしょ?」

先月、彼女が部屋を出て、僕は一人で暮らしていた。二人のときには手狭《てぜま》に感じていた部屋も、一人になってみればやはり広過ぎた。それに、そこは彼女と二人で生活を始めるために借りた部屋だった。一人になっても暮らし続けるのでは、何だか僕も座りが悪い。

「ああ、うん。部屋はね。今、探してる」

「あ、それは専門分野だったか」と彼女は笑った。

確かに不動産業と大雑把《おおざっぱ》にくくればそれは僕の分野だったし、実際、仕事がらみで顔なじみになった不動産屋に一人住まい用の賃貸物件を探して欲しいと声をかけてはいたが、僕の専門はあくまで住宅設計だ。そして一度だけ、僕はその専門の能力を二人のために使ってみたことがある。家の設計図を描いてみたのだ。実際に建てるわけではない。決裁がどうしても必要で、社長の帰社を待ちくたびれた夜に、会社で一人、戯《たわむ》れに図面を引いてみただけだ。

まずは、開放感のある玄関スペース。それに日当たりのいいリビング。料理には僕も彼女も凝《こ》るほうではないから、そんなに立派なキッチンは要《い》らない。今使っているダブルベッドが十分に入るくらいの少し大きめのベッドルーム。彼女が仕事を持ち帰っても大丈夫なように、生活スペースの音が気にならない場所に一つ部屋を造る。だったら、僕もそんな部屋が欲しいともう一つ、似たような部屋を描いた。将来的には、子供ができるかもしれないから、子供部屋も一つ。もし、できなければ、物置にでも使えばいい。となると、リビングはこんなに広くは取れないから、もう少し小さくても構わないか。

「これ、何?」

会社に戻ってきた社長は僕と仕事の話を済ませると、デスクのパソコン画面にそのままにしてあった間取り図を見て聞いた。

「あ、これは仕事じゃないです。僕が建てるならこんな家かなって、ちょっと遊びで描いてみただけです」

お前の家か、と呟いた社長は、ふうん、お前の家ねえ、ともう一度繰り返した。

「実際に建てはしませんよ」と僕は笑った。「そんなお金もないし」

「そりゃ、まあ、そうだろうけど」と僕の給料を知っている社長は笑い、笑みを収めてまた図面を眺めた。「いや、でもなあ」

「何です？」

「いや、こりゃ、家っていうか」

「はい？」

「水まわりを共有しただけのワンルームマンションみたいだな」

僕は図面に目を落とした。そこから僕と彼女の姿を除いて考えてみれば、その図面は、確かにそんな風にも見えた。僕が離婚を漠然と考え出したのは、そのときからだったかもしれない。自分のもっとも得意としている能力を二人のために使ったことが離婚を早めたのだとしたら、皮肉なものだと思う。彼女のほうがいつ、どんなきっかけでそれを考え始めたのか、僕は知らない。

「どこら辺？」

彼女の声に僕は視線を上げた。

「え？」

「だから、引越し先」

「ああ。どこか、会社の近くで安いワンルームでも探すよ。実際問題」と僕は笑った。

「僕の給料じゃ、払える家賃は限られているし」

別に卑下《ひげ》したつもりもないし、彼女の給料の高さをあてこすったわけでもない。けれど僕の言葉は変に気まずく響いてしまった。僕らの間に少し沈黙が落ちた。曲を弾《ひ》き終え、それが最後の曲だったらしい。ピアニストが立ち上がり、客席に軽くお辞儀《じぎ》をした。やめたことでそれまで演奏していたことに気づいたように、何組かの客が食事の手を止めて、ピアニストにささやかな拍手を送った。僕らもナイフとフォークを置き、それに倣った。

「会社ね」

ピアニストが姿を消すと、彼女はワイングラスに手を伸ばし、ごくさりげない口調で言った。

「辞めようと思ってるの」

「え？」

僕は驚いて聞き返した。

「何かあった?」

「何もないよ」と彼女は言った。

愚問《ぐもん》だった。何かがあったとしたって、彼女が言うはずがなかった。

「こないかって言ってくれる会社は前からいくつかあったの。だから、よそへ移ろうかと思って。心機一転っていうやつかな。移るんだったら、今が最後のタイミングだと思うし」

彼女は再びナイフとフォークを手にして、残りのフィレ肉に取りかかった。

男と違い、女性は離婚のことが会社でとやかく言われたりするのかもしれない。あるいは、離婚することで彼女自身が疲れてしまったのかもしれない。どちらにしろ、今の状況で、彼女が僕にそんなことを言うはずがなかった。

「そう」とだから僕は言うしかなかった。「君だったら、たぶん、どこでもやれるよ」

「知ってる」と彼女は笑った。

彼女はいったいどんな言葉をどれだけその胸に溜《た》め込んできたのだろう。

その笑顔に微笑み返すことしかできず、僕は思った。

次に、もし次に誰かと結婚するのなら、僕みたいに無神経で不器用なやつじゃなくて、もっと気のきいた、器用なやつを選べよ。君の中に溜まった言葉を一つ残らず上手に引き出してくれるような誰かを。

「頑張って」と僕は言った。

「うん。ありがとう」

メインを食べ終えると、僕は彼女に断って席を立ち、トイレへ向かった。用を足すためではない。そんな意識はなかったのだが、いつもよりも速いペースで飲んでしまったようだ。思った以上にワインが回っていた。このまま酔った頭で彼女と別れたくはなかった。僕は洗面台で何度か顔を洗い、ハンカチで拭《ぬぐ》った。

トイレから出ると、僕らの席にデザートとコーヒーがやってきているのが見えた。彼女はコーヒーカップに手をかけたまま、虚空《こくう》をぼんやりと眺めていた。

その姿に僕はふと思い出した。僕らがまだ結婚する前のことだ。仕事をしている彼女を一度だけ見たことがあった。住宅産業のシンポジウムがあるホテルのホールであり、僕は急に都合が悪くなった上司に代わってそれに出席した。そのシンポジウムが終わり、通りかかったフロント近くのコーヒーラウンジで、僕は彼女の姿を見つけた。まだ駆け出しという扱いだったのだろう。彼女は上司と思《おぼ》しき年上の男性の隣に座り、その人が向かいの相手と打ち合わせる内容に耳を傾け、熱心にメモを取っていた。いかにも将来を嘱望《しょくぼう》されている有能な若手社員といったその姿に、ふと悪戯心《いたずらごころ》が湧いた。僕はそのコーヒーラウンジに入り、彼女が視線を上げれば視界に入る席に座った。僕に気づいたら、彼女はどんな顔をするだろう。少しはびっくりして、たぶん、ちょっとだけ慌てるだろう。どうした、なんて隣の上司に声をかけられ、いえ、何でもないです、とか誤魔化《ごまか》しながら僕を睨むだろう。だって、まさか、あそこに恋人が座っている、なんて言うわけにもいかない。僕はコーヒーを頼み、そんなことを考えながら一人で楽しくなって、彼女を眺めていた。彼女は気づかなかった。何度か視線を上げはしたが、僕に気づきはしなかった。そのうち僕は自分が眺めるその人が、全然知らない人であるような錯覚を覚えた。あんなに潑剌《はつらつ》としていて、聡明《そうめい》そうで、奇麗な女性が、だって、僕の恋人であるわけがないじゃないか。段々、そんな風に思えてきたのだ。僕はやってきたコーヒーをそそくさと飲み干し、ラウンジを出た。それ以上眺めていると、その錯覚のほうが現実に取って代わってしまいそうだった。

　僕が彼女にプロポーズしたのは、それから間もなくのことだった。僕は焦《あせ》ったのだ。僕は初めて恋を告白したときより不器用に、彼女にプロポーズをした。断られるかもしれないと思った。断られて当然のような気もした。けれど、彼女はゆったりと頷いて僕に近づき、僕をぎゅっと抱きしめてくれた。考えてみれば、あのとき、すでに彼女は間違ったのではないだろうか。僕と過ごした五年間がどういう形であろうと、結局、僕らはこうなっていたんじゃないだろうか。そして、僕はたぶん、そのことに薄々気づいていながら、それでも踏ん切りをつけられずに、結婚という形式のもとに彼女を縛り続けていたんじゃないだろうか。

今、席で一人、虚空にぼんやりと目を向ける女性に、あのときの潑剌とした印象はない。僕との五年間は、いったい彼女の中の何を削り、磨耗《まもう》させてしまったのだろう。

「ごめん」と僕は言って、席に戻った。

「ううん」と彼女は首を振った。

デザートを食べながら、もう話すべきことも浮かばなかったのだろう。彼女はしばらく当たり障《さわ》りのない話をした。今日、会社へ行くとき、電車で隣に立った女の子のマニキュアのこと。以前読んだことを忘れていて、昨日、もう一度買ってしまった小説のこと。先週、メールで転勤を知らせてきた昔の同級生のこと。

そんな他愛《たあい》のない彼女の話に僕が相槌を打っている間に、食事を終えた何組かの客が店を出て行った。さすがに今の時間から食事にやってくる客はいなかった。ふと会話が途切れたときには、店には僕らとあと一組の客が残っているだけだった。僕らの前の皿から小さなデザートはとっくになくなり、僕のカップにも彼女のカップにも、もうコーヒーは残っていなかった。

彼女といるのは、もう何分もないだろう。何か言い忘れていることはないだろうか。

空のコーヒーカップに未練がましく手をかけたまま、僕け考えた。もう言うべきことなど一つもないようにも思えたし、すべてを言い忘れているような気もした。彼女は僕が口を開くのを待つように、膝の上に手を置いて、僕らの間で揺れるキャンドルの炎を見つめていた。彼女の中では、もう整理がついているのだろう。だったら、僕がここでぐずぐずするわけにもいかない。

「じゃあ、そろそろ」

僕は言った。彼女はいったん視線を落としてから顔を上げ、ゆっくりと僕に頷き返した。

カードを使って会計を済ませ、僕らは席を立った。ドアのところにいた白髪の男性に見送られ、僕は彼女のためにドアを開けた。

「ありがとう」

軽く微笑んで、彼女が僕の脇をすり抜けた。

その一瞬。

自分を襲った激情が何なのか、僕にはわからなかった。すっと僕の前を通り過ぎる彼女。その途端、圧倒的な何かが僕の体を通り抜けた。眩暈《めまい》すら感じて、僕は思わず目を閉じた。僕の中の眩暈は、やがてある朝の情景に焦点を合わせた。初めて彼女が僕の部屋に泊まった、その日の朝の情景に。

狭い部屋にカーテンの隙間から早朝の弱い日が差し込んでいた。

記憶？

二十歳《はたち》の僕が聞いた。

そう、と二十歳の彼女が頷いた。嗅覚を司《つかさど》るのは大脳の旧皮質なの。そして旧皮質の両側にあるのが海馬《かいば》っていって、これが記憶を司っているのね。

だから？

だからね、と、二十歳の彼女が笑った。嗅覚は五感の中で一番記憶に直結している部分なの。

ええと、それが？

それが、今日、香水をつけてきた理由。あなたはきっと、この香水を嗅ぐたびに今日のことを思い出す。あなた自身の中で、言葉にすら変換されていない、一番ピュアな感情をね、思い出してくれるんじゃないかって。

まだ色がついていない朝の白い光の中、薄いシーツに身を包んだ彼女がはにかむように微笑んでいた。その微笑みが僕にはやっぱり奇跡に思えた。今まで積み重ねてきた小さな奇跡は、すべてここにつながっていたのだと思った。

私ね、素直じゃないから、と彼女は言ってシーツを目の下まで引き上げた。喧嘩しても、自分から謝れないこともあると思うの。いっぱいあると思うの。だから、そういうときには、この香水をつけてく。この匂いを嗅いだら、今日のことを思い出して。思い出したら、私は胸の中で一生懸命に謝ってるんだと思って。ごめんなさい、ごめんなさい、ごめんなさい、ごめんなさいって。

勝手なんだな、と二十歳の僕が笑う。

知らないの?と二十歳の彼女も笑う。女の子って、勝手なのよ。

けれどそのとき以来、彼女がその香水をまとったことなどなかった。

情景が過ぎ去り、残った暗闇に、ついさっきの彼女の姿が浮かび上がった。白い花に顔を寄せ、その匂いの中に、彼女は何を探していたのだろう。

「月が出てる。真ん丸いやつ」

彼女の声に僕は目を開けた。彼女が僕を振り返った。それから、その場で動かない僕に、少し不安そうに眉を寄せた。

「どうか、した?」

「何でもない」

僕も空を見上げてみた。ビルの上の夜空に完璧なほど丸い月がぽかりと浮かんでいた。

何をしていたんだろう、と僕は思った。五年も、いや、もっとそれ以上長い時間を一緒に隣で歩いていながら、僕は何をしていたんだろう。

「ねえ、少しだけ」

僕が視線を下ろすと、彼女は顔を伏せ、僕には見えない石ころを一つ蹴飛《けと》ばした。

「もう少しだけ、歩かない？」

流れた時を戻せはしない。だからそれを悔《く》やむのはよそう。まだ見ていない、もう少し先の時間の中に、僕は別な奇跡を見つけられるだろうか。

僕はもう一度夜空を見上げた。完璧なまでに丸い月がぽかりと僕らを見下ろしていた。

奇跡的なくらい完璧に丸い月が。

僕は彼女に頷き返した。

「いいね」

僕らは肩を並べて歩道を歩き出した。

本書は二〇〇五年七月、小社より
四六判で刊行されたものです。

一〇〇字書評

切り取り線

**購買動機**（新聞、雑誌名を記入するか、あるいは○をつけてください）

| | |
|---|---|
| □（　　　　　　　　）の広告を見て | |
| □（　　　　　　　　）の書評を見て | |
| □ 知人のすすめで | □ タイトルに惹かれて |
| □ カバーがよかったから | □ 内容が面白そうだから |
| □ 好きな作家だから | □ 好きな分野の本だから |

●最近、最も感銘を受けた作品名をお書きください

●あなたのお好きな作家名をお書きください

●その他、ご要望がありましたらお書きください

| | | | | | |
|---|---|---|---|---|---|
| 住所 | 〒 | | | | |
| 氏名 | | 職業 | | 年齢 | |
| Eメール | ※携帯には配信できません | 新刊情報等のメール配信を希望する・しない | | | |

## あなたにお願い

この本の感想を、編集部までお寄せいただけたらありがたく存じます。今後の企画の参考にさせていただきます。Eメールでも結構です。

いただいた「一〇〇字書評」は、新聞・雑誌等に紹介させていただくことがあります。その場合はお礼として特製図書カードを差し上げます。

前ページの原稿用紙に書評をお書きの上、切り取り、左記までお送り下さい。宛先の住所は不要です。

なお、ご記入いただいたお名前、ご住所等は、書評紹介の事前了解、謝礼のお届けのためだけに利用し、そのほかの目的のために利用することはありません。またそのデータを六カ月を超えて保管することもありませんので、ご安心ください。

〒一〇一－八七〇一
祥伝社文庫編集長　加藤　淳
☎〇三（三二六五）二〇八〇
bunko@shodensha.co.jp

祥伝社文庫

## 上質のエンターテインメントを！　珠玉のエスプリを！

祥伝社文庫は創刊15周年を迎える2000年を機に、ここに新たな宣言をいたします。いつの世にも変わらない価値観、つまり「豊かな心」「深い知恵」「大きな楽しみ」に満ちた作品を厳選し、次代を拓く書下ろし作品を大胆に起用し、読者の皆様の心に響く文庫を目指します。どうぞご意見、ご希望を編集部までお寄せくださるよう、お願いいたします。

2000年1月1日　　祥伝社文庫編集部


I LOVE YOU《アイ・ラブ・ユー》　恋愛アンソロジー

平成19年9月5日　初版第1刷発行
平成20年4月20日　第4刷発行

著者　伊坂幸太郎《いさかこうたろう》・石田衣良《いしだいら》
市川拓司《いちかわたくじ》・中田永一《なかたえいいち》
中村《なかむら》 航《こう》・本多孝好《ほんだたかよし》

発行者　深澤健一
発行所　祥《しょう》伝《でん》社《しゃ》
東京都千代田区神田神保町3-6-5
九段尚学ビル　〒101-8701
☎03（3265）2081（販売部）
☎03（3265）2080（編集部）
☎03（3265）3622（業務部）

印刷所　萩原印刷
製本所　関川製本



造本には十分注意しておりますが、万一、落丁、乱丁などの不良品がありましたら、「業務部」あてにお送り下さい。送料小社負担にてお取り替えいたします。

Printed in Japan

©2007, Kōtarō Isaka, Ira Ishida, Takuji Ichikawa, Eiichi Nakata, Kou Nakamura, Takayoshi Honda



ISBN978-4-396-33375-1　C0193

祥伝社のホームページ・http://www.shodensha.co.jp/

# 祥伝社文庫

江國香織
唯川　恵ほか
**LOVERS**
江國香織・川上弘美・谷村志穂・安達千夏・島村洋子・下川香苗・倉本由布・横森理香・唯川恵…恋愛アンソロジー

江國香織
谷村志穂ほか
**Friends**
江國香織・谷村志穂・島村洋子・下川香苗・前川麻子・安達千夏・倉本由布・横森理香・唯川恵…恋愛アンソロジー

安達千夏
**モルヒネ**
在宅医療医師・真紀の前に七年ぶりに現れた元恋人のピアニスト克秀は余命三ヶ月だった。感動の恋愛長編

島村洋子
**ココデナイ ドコカ**
騙されていることに気づきつつ、でも好きだったから…現代女性の心理の深奥にせつなく迫る、恋愛小説。

本多孝好
**FINE DAYS**
死の床にある父から、僕は三十五年前に別れた元恋人を捜すよう頼まれた…。著者初の恋愛小説

伊坂幸太郎
**陽気なギャングが地球を回す**
嘘を見抜く名人、天才スリ、演説の達人、精確無比な体内時計を持つ女。史上最強の天才強盗四人組大奮戦！